KB103942

강화정 구경자 김영희 박상미 백미애
여미선 이영주 임미리 장미화 한혜원

발 행 일	2024년 5월 27일
지 은 이	강화정 구경자 김영희 박상미 백미애 여미선 이영주 임미리 장미화 한혜원
편 집	김영희
디 자 인	방서현
발 행 인	김영희
발 행 처	춤추는책
출판등록	제 2019-000011호 (2019년 10월 1일)
주 소	안성시 공도읍 양기길 46 10층 1호
대표전화	070-7766-2552
이 메 일	dud-0718@naver.com
ISBN	979-11-93820-07-0

강화정 구경자 김영희 박상미 백미애
여미선 이영주 임미리 장미화 한혜원

이마트 컬처클럽 스타필드 안성에서 함께 뜻을 모은 10인의 작가가 선물하는 톡톡 튀고 개성 넘치는 인생 이야기 '인생이 온다'가 발간되었습니다.

'인생'의 사전적 의미는 '사람이 세상을 살아가는 일'을 말합니다. 살아갈 때, 무엇이 가장 중요할까요? 우리는 어쩌면 죽음으로 떠나는 여행자인지도 모릅니다. 어떻게 죽을지를 생각하며 살아가는 삶과, 그렇지 않은 삶은 하늘과 땅의 거리만큼 멀어지겠지요.

그렇다면 우리는 왜 인생을 기록할까요? 기록이 삶을 돌아보고 남은 생을 어떻게 살아야 할지를 알려 주기 때문입니다. 기록이 기억보다 힘이 세다는 것에 동의 하지 않는 사람은 없을 겁니다. 익숙함을 기록하면 새로워지고, 한층 더 의미 있게 다가옵니다. 삶을 기록하는 일이기에 나의 순간이 넓어지는 순간이며, 나의 육체와 정신이 무한의 넓이로 확장되는 일입니다.

이 책은 열 명의 여성 작가들이 따로, 또 함께 더 빛나는 인생 이야기의 퍼즐을 맞추며 소중한 경험을 공유하는 책입니다. 누군가는 삶을 돌아보는 기회가 되고 또 다른 이는 건강을 되찾는 행운을 맛보기도 합니다.

치열한 삶 속에서 이유를 가지고 써 내려간 그녀들의 인생 이야기를 들어보세요. 진정한 여유와 삶에 의미를 찾는 시간이 될 것입니다.

이 글을 읽는 독자가 가슴이 뜨거워지는 일을 하면 좋겠습니다. 책이 삶을 바꾸고, 타인의 삶을 바꿀 수 있는 길에 동행하면 좋겠습니다. 당신의 가슴이 뜨거워지는 일이 가야 할 길입니다!

공동저서 집필을 도전하며 더 큰 모험에 도전할 수 있는 용기를 얻었습니다. 공저에 함께한 작가 모두에게 응원의 박수를 보냅니다. 작가 모두에게 소중한 기회를 주신 이마트 컬처클럽 관계자분들께 진심으로 감사의 말씀 드립니다.

김영희

발행인

춤추는책 대표

目次

강화정

해피멘토 협동조합 감사, 역사탐험대 지사센터장
학교폭력 예방상담사 및 교육강사, 효인성 강사

연은 순풍이 아니라 역풍에 가장 높이 난다.

"연은 순풍이 아니라 역풍에 가장 높이 난다."
-윈스턴 처칠-

눈물을 삼킨 딸

“엄마, 눈이 너무 무겁고 안 떠지는 것 같아.”

고등학교 2학년인 딸은 까만 눈동자를 깜빡이며 이런 말을 자주 했다.

“눈 잘 떴는데…. 어제 너무 많이 잔 거 아냐?”

“아니야, 아니라고….”

한두 번, 얘기하고 끝날 줄 알았는데 계속되는 딸의 요청에 병원에 가보기로 했다. 안과, 내과, 성형외과, 피부과까지 다 다녀도 특별한 이유가 없었다. 결국 의사 소견엔 이상이 없다고 하였고 심리적인 문제일 거라고 말했다.

"아마도 네가 고3 되려니까 스트레스 때문일 거야."라고 말했지만, 딸은 쉽사리 수긍하지 않았다. 그리고 몇 달 뒤, 딸이 고3이 되어 학부모 총회에 갔다.

"과학고에 간 **엄마셨군요. 반가워요."

신도시로 이사 온 후 아들 **은 과학고에 진학하였다. 그래서 학교 플래카드에 아들 이름이 올라 나름 알려져 있었다. 딸아이 짝꿍 엄마라며 먼저 반갑게 인사를 건네셨다.

"그런데 따님이 학교에서 울었나 봐요. 혹 알고 계신가 해서요."

조심스럽게 전하셨지만 난 왠지 불편했다. 그날, 집으로 돌아오며 마음이 편치 않았다.

신도시로 이사 온 지 6년, 첫해부터 남편의 사업은 힘들어졌고 이것, 저것 벌려놓은 일들이 많았다. 전원주택 단지를 꾸미기 위해 투자한 돈도, 화성의 유니버설 스튜디오가 건설된다는 정보에 사들인 땅도 있어 쉽지 않은 생활이 이어졌다. 게다가 정부의 부동산정책이 숨통을 조여오면서 자금의 순환은 더 어려워졌다. 한번 삐꺽거리기 시작한 남편의 사업은 기울기 시작하더니 결국 돌이킬 수 없는 상황이 되었다.

가정 경제는 어려워졌고 신도시로 이사를 왔지만, 사정은 오히려 좋아지지 않았다. 사업이 잘되니 신도시로 이사 가지 말자고 했던 외침은 철저하게 외면당했다. 쌀독에서 인심 난다고 빈 통장은 가정불화를 일으켰다. 남편은 성격이 급한 편인데 사업까지 실패한 상황이니 마음의 불편함은 더했고 그냥 지나칠 일도 예민하게 반응했다. 어렸을 때도 주머니에 돈이 마른 적 없었지만, 눈앞의 현실에 적응하며 하루하루를 버텨냈다. 적금과 보험은 하나씩 해약했고 장롱 깊이 있던 패물도 금방에 내다 팔며 딸의 학원비로 대신했다.

꿈 많은 여고생 딸에게 이런 분위기는 딸을 억누르고 있었다. 이사 오기 전 발레리나를 꿈꾸던 딸은 중학생이 되어 이런저런 이유로 발레를 그만두었다. 기숙사 생활을 하여 주말에나 오는 오빠는 대학 진학을 위해 대치동에 있는 학원에 다녀 늦은 밤에 귀가하였다. 그러니 힘든 마음을 나눌 만한 대상이 없었다. 엄마, 아빠가 걱정할까 봐 눈물을 삼키다 학교에서 울었을 것이다. 그런 장면이 겹치면서 내 마음도 깊은 바닷속으로 가라앉았다.

중년의 성장통

이사 온 신도시 아파트는 리조트에 온 것처럼 경치가 좋았다. 그러나 집에서 웃음소리는 점점 사라졌고 아들이 집에 오는 날에 이야기꽃을 피우는 게 전부였다. 아빠가 없는 자리에선 서로 이야기하며 웃고 이런저런 얘기를 나누었다. 감정이 건드려지면 남편은 아무것도 아닌 일에 큰소리를 내니 아이들과 나는 눈치를 보았다.

남편은 점점 집에 있는 날이 많아졌고 은행에서 걸려 오는 전화에 안절부절 못하며 노이로제가 걸린 듯했다. 옆에서 지켜보는 식구들도 그럼 모습이 안쓰러웠다. 종일 넋이 나간 사람처럼 컴퓨터 앞에 앉아있는 아빠를 착한 딸은 위로하고 싶어 했다. 가슴 속에 차오르는 답답함과 불안감이 있었지만, 엄마와 아빠에게 그 짐을 얹고 싶지 않았을 것이다.

이런 바람에도 남편은 점점 힘을 잃고 조여지는 은행 이자에 불안감이 커져만 갔다. 차라리 자신의 상황이나 속마음을 아내인 나에게 털어놓으면 좀 나았을 텐데 그 자존심에 그렇게 하질 못했다. 답답한 현실은 나까지 숨통을 조였다. 잦아지는 말다툼, 속을 펼쳐 보일 데가 없고 그럴 때마다 딸 방에서 잠을 자며 속 이야기를 나누곤 했다.

친구 같았고 나를 가장 위로해 주던 10대의 딸은 그렇게 시간을 보냈다. 남편은 자식들을 꼼꼼하게 챙겼고 돈이 생기면 자신에게 쓰기보다는 가족에게 쓰는 사람이었다. 그러나 불같은 성격에 아홉 가지를 잘해도 그 한 가지로 인해 공을 다 잃어버리는 사람이었다.

어느 날, 막내 오빠가 처가 왕래를 자주 안 하는 남편에게 술 한잔 마시자며 연락을 했다. 오랜만에 만난 두 사람은 새벽까지 함께 했고 모처럼 속 깊은 대화를 나누었다. 그리고 전혀 기대하지 않은 이야기를 남편이 전했다.

“형님 다시 봤어. 자금이 어려워 전원주택 공사 못 한 것, 형님이 빌려주시기로 했어.”

남편의 갑작스러운 말, 고마웠지만 믿어지지는 않았다. 남편과 달리 하나에서 열까지 언니와 상의하는 오빠가 술자리에서 혼자 결정한 것이 마음에 걸렸다. 남편은 미뤘던 사업을 당장에 시작하고 계약금까지 지급하며 사업자금이 통장에 입금되기를 손꼽아 기다리고 있었다.

그리고 며칠 뒤, 나에게 전해진 한 통의 문자와 남편에게 걸려 온 짤막한 통화. 상황이 안되니 없던 걸로 하고 미안하다는 내용이 적힌 올케언니가 보낸 문자였다. 별 기대하지 않았던 탓인지 '그렇구나!' 하는 나의 반응과는 달리 남편의 실망감은 무척 컸다.

그 뒤로도 남편의 친정 오빠에 대한 섭섭한 마음은 계속되었다. 남편은 계약금도 날리고 경제 폭탄의 강도는 더욱 세졌다. 술을 마시면 친정 오빠에 대한 싫은 소리를 했고 그 일로 싸움은 잦아졌다. 내가 언니 입장이라도 그 큰돈을 상의 없이 빌려준다면 기분 나쁠 것이다. 남편은 이해하지 못했고 이해하려고도 하지 않았다.

설상가상. 감당하기 어려워진 은행 빚으로 집이 경매까지 간 상황에서 시댁 형님네에서 큰일이 벌어졌다. 본가 일이라면 늘 앞장서서 해결하는 남편은 홀시아버지 병원 일에, 큰집 일 해결까지 삼중고를 견디며 처리하고 있었다. 급한 건 우리 집인데 어디에 도움을 청할만한 곳이 없었다. 친정 부모님도 결혼 후 모두 돌아가셔서 힘들 때 기댈 곳이 없었다. 궁지에 몰린 상황이 되었지만, 어디에도 의지하기가 쉽지 않았다. 답답할 때마다 운동을 벗 삼아 스트레스를 풀거나 공원에 나가 가만히 숨죽여 울곤 했다.

하늘이 무너져도 솟아날 구멍은 있다. 다행히 시동생이 우리 집을 경락받았다. 남편은 노발대발했지만, 돈을 빌려주어 위기를 넘기게 해 준 오빠가 고마웠다. 그러나 남편의 성격상 그 돈은 자존심을 갉아먹는 곰팡이처럼 느꼈을 것이다. 경제적 가난은 정서적 가난을 불러오기 쉽다. 사업이 잘될 땐 처가 형님에게 좋은 투자처를 소개하며 호탕했던 남편의 모습은 온데간데없이 사라져 보이지 않았다.

어느 날, 새벽 두 시. 숨이 안 쉬어진다는 남편은 급하게 나를 깨웠다. 가슴이 답답하고 숨쉬기가 어려워 이십일 층 집에서 뛰어내릴 것만 같다고 했다. 그래서 부랴부랴 새벽에 가볍게 옷을 입고 일 층으로 내려갔다.

동이 틀 때까지 남편 손을 잡고 산책길을 걸었다. 식은땀을 흘리고 안절부절못하며 안정을 취하지 못했다. 안방에서 자다가도 거실로 나와야 했고 거실 베란다 문을 열고 얼굴을 대고 바깥 공기를 들이마시며 아침 해를 맞이했다. 불면증으로 잠을 이루지 못했고 힘들다는 말을 자주 했다. 그동안 한 귀로 듣고 흘려보냈던 말이 그냥 하는 말처럼 들리지 않았다.

“내일 병원에 가보자.”

웬만큼 아파서는 병원에 가지 않는 남편이 좀 견디어 보자고 했다. 그런데 며칠이 지나자, 남편이 “내일 나랑 병원에 가자.”라며 먼저 말을 꺼냈다. ‘이 사람이 병원에 가자고 하는 걸 보니 힘들구나.’라는 생각이 들었다. 겉보기에 다친 곳도, 멍든 곳도 없지만 보이지 않는 곳이 고장이 난 게 분명하다.

병원에서 의사가 말한 병명은 뜻밖이었다. ‘공황장애’ 연예인만 걸리는 줄 알았던 병명이었다. 특별한 이유 없이 예상치 못하게 나타나는 극단적인 불안 증상. 극도의 공포심이 느껴지면서 심장이 터지도록 빨리 뛰거나 가슴이 답답하고 숨이 찬다. 어쩌면 죽을 수도 있다고 느낀다는 공황장애.

그날부터 공황장애와 관련된 각종 정보를 찾아 검색했고 어떻게 해야 하는지 생각하고 또 생각했다. 나 역시 불안했고 우울감이 있었지만 '나라도 정신 차려야 한다.'라는 강단이 생겼다. 그래도 난 스트레스를 운동으로 해소했던 탓에 견디고 있었지만, 남편은 그 충격을 고스란히 마음의 병으로 키웠다. 딸 역시 이 상황 속에서 묵묵히 자기 일을 해나갔다.

감정이 건드려질 때마다 화내던 남편이 젖은 날갯죽지를 늘어뜨린 새처럼 안쓰러웠다. 어쩌면 죽을지도 모른다는 걱정과 어떻게든 이 사람을 살려야 한다는 생각이 들었다. 이십일 층에서 뛰어내릴지도 모른다는 걱정에 잠을 이룰 수가 없었다.

딸과 나는 수시로 남편을 살폈다. 스트레스 쌓일 때마다 운동에 몰두하며 낙으로 삼았던 일상은 멈췄다. 우선 급한 불을 껐으니 시댁 일은 각자 그들에게 맡기자고 말했다. 우리 집도 해결되었으니, 마음을 편하게 가지라고 안심시켰다. 그리고 이제부터는 내가 더 일할 테니 우선 공황장애부터 고치자고 했다. 딸과 나는 그를 안심시키고 편안하게 하려고 애를 썼다. 더 일찍 따스한 말로 감싸지 않은 게 후회가 됐다.

사업이 어려워도 자존심 하나로 버티던 남편은 힘없이 웃으며 고맙다는 말만 되풀이했다. 그리고 조금씩 시댁 일도 줄이고 자기 먼저 챙기려고 노력했다. 물론 타고 난 성향을 바꾸기 어려워 시댁 식구에게 당분간 신경 쓰지 않게 해달라고 부탁했다. 그런데 남의 일보다는 자신의 일이 커 보이는 탓일까? 시댁은 스스로 해결할 수 있는 일도 남편에게 연락했다.

불면증에 시달리던 남편은 약을 먹고 잠을 청하며 조금씩 나아져 갔고 점차 약을 줄이게 되었다. 하지만 답답한 공간을 못 견뎌 얼굴을 가리고 치료하는 치과 치료도, 비행기 타는 것도 아직은 어려워했다. 그래도 스스로 이겨내려고 노력하는 모습이 보였다.

시간이 흘러가면서 조금씩 경제 상황도 나아졌다. 전에 하던 사업과는 전혀 다른 방향의 사업을 시작하였다. 신혼살림도 맨바닥에 시작해 사업을 일구었던 저력이 있어 다시 한번 맨바닥부터 시작하였다. 바닥까지 내려갔으니 올라올 일만 있어 두려울 일이 없었다. 큰 인생의 시련을 겪었기에 웬만한 일은 걱정거리가 안되었다. 거센 인생의 역풍이 우리를 단단하게 만든 것이다.

시골에서 자수성가하시며 나에게 들려주셨던 부모님의 말씀이 그때 처음으로 가슴에 와닿았다. '젊어서 고생은 사서도 한다, 살면서 고생을 해봐야 더한 일을 견딘다.' 진부한 말이라 귀담아듣지 않고 흘려보냈는데 그 상황이 되니 부모님이 걸으셨을 인생의 힘든 시절이 연상되었다.

어둡던 터널에서 벗어나자 조금씩 빛이 들어오면서 남편과 나도, 아이들도 생기를 찾아갔다. 아들은 대학을 다니다 군대에 갔고 딸은 고3 수능을 보았다. 모든 게 안정을 찾아가고 있었다.

그러나 수능을 본 후, 딸은 예전 같지 않았다. 공부에 대해 욕심이 없던 아이라 재수를 말렸지만, 딸은 확고한 본인의 의지 없이 재수했다. 얼마 후, 딸은 8월이 되기 전 재수를 포기했고 갑작스럽게 진로 변경한다고 선언했다.

대학을 다니기 시작한 딸은 예전의 딸이 아니었다. 대학 다니면서도 큰 소리를 내는 일이 잦아졌다. '맘에 차지 않는 대학을 다녀서 저러나!'라는 생각도 했다. 사춘기 없이 지나던 딸에게 "늦게 사춘기가 왔구나."라고 말하기도 했다.

대학 다닌 지 한 학기가 지나고 딸은 교환학생으로 뽑혀 하와이로 가게 되었다. 집에서 통학하면서 엄마, 아빠와 사소한 일에도 신경전을 벌이던 중 희소식이었다. 서로가 같이 있어 상처받느니 낯선 환경에서 새로운 경험이 훨씬 더 나을 거라는 생각이 들었다.

반년 조금 넘은 딸의 하와이 교환학생 생활은 새로운 눈을 열어주었다. 딸은 귀국 후 어릴 때부터 간절히 키우고 싶어 하던 강아지를 인터넷으로 가정 분양했다. 까만 눈망울에 흰털을 가진 몰티즈였고 이름을 '꿍이'라고 하였다. 새로운 가족 '꿍이'이다. 그리고 딸은 더 넓은 세상을 가고자 미국에서의 삶을 차근차근 준비했다.

딸은 WEST 인턴 프로그램에 당당히 합격해 국비로 라스베이거스에서 일 년 반 동안 생활하였다. 호텔에서 인턴을 하며 경영의 꿈을 키웠다. 프로그램 과정이 끝나고 한국으로 돌아와 대기업의 비서로 활동하며 구체적인 계획을 세우고 있었다. 그러나 한국에 돌아와서 집에서 잠깐 지내는 동안에도 부모와의 갈등은 여전했다. 모든 게 좋아지는 것 같았는데 다시 제자리였다.

딸도 자신의 꿈을 찾는 중이었다. 아들도 대학 졸업 후 취업하여 프로그래머로 활동하였다. 남편도 새로운 사업이 완전히 자리를 잡아 경제적 여유도 생겼다. 우리는 아들에게 크진 않아도 아파트도 마련해주고 유학 가고 싶어 하는 딸도 지원하기로 했다. 남편은 힘든 시절, 가족들에게 상처 준 것을 말로는 표현 안 해도 미안해하는 것 같았다.

남편의 공황장애도 많이 좋아져 제주도행 비행기는 탈 정도가 되었다. 가족 일보다 형, 동생, 누나 일에 발 벗고 나선 남편은 무엇보다도 우리가 잘 살아야 한다는 교훈을 얻었다. 한 울타리 속, 가족이 큰 힘이 되었던 소중한 기회였다. 어찌 보면 큰 역풍에 '가족'이라는 연을 높이 날린 고난의 시간이었다.

삶에 색을 칠하다

"내가 왜 미국 가려는 줄 알아? 한국에 미련이 없어. 좋은 추억이 없다고!"

20대 후반 딸이 유행어처럼 쓰는 대사이다. 학창 시절, 힘들었던 고비에서 함께 이겨내며 든든한 아군이라고 생각했던 딸은 모든 게 부모 탓을 했다. 삶이라는 전쟁터에서 함께 이겨내서 동지애가 돈독할 거로 생각한 것은 착각이었다.

어느 날, 딸이 직장과 가까운 곳으로 이사하여 가까운 주점에서 오랜만에 마음 깊은 이야기를 나누게 되었다. 둘 다 술이 약해 가볍게 마신 맥주에 취기가 올라 평소에 쉽게 하지 못한 이야기꽃을 피웠다. 그러다 딸은 학창 시절 우울하고 불안했던 시간을 다시 돌려놓으라고 울부짖었다.

어린 학도병을 전쟁터에 참여시킨 것 같은 죄책감과 미안함에 눈물이 흘렀다. 부모가 처음이라 경험도 없고 사업 실패로 힘들었던 때니 미안하고 이해해 달라고 했다. 무심코 아빠가 했던 말이 과거의 시간 속에서 헤어나지 못하고 상처가 되어 마음을 다친 딸이 너무 애처로웠다.

딸도 엄마, 아빠를 이해하며 고맙기도 하지만 내 잃어버린 학창 시절을 되새겼다. 과거의 상처로 봉인한 딸이 안쓰럽기도 했지만, 그로 인해 나의 자존감은 점점 무너졌다. 과거의 시간 속에서 상처 없는 사람이 누가 있으랴? 하지만 건드려지니 아물었다고 생각했던 상처가 마음을 아프게 했다.

남편 역시 딸에게 미안하다고 했으나 자신의 처지도 그렇게 몰라주나 싶은 듯 서운한 마음을 나에게 비췄다. '이제는 자리 잡아 온 식구가 옛이야기 하며 웃을 수 있겠구나 싶었는데' 현실은 그렇지 않았다. 남들은 사업이 잘되고 자녀들도 자리 잡아 걱정 없겠다고 했지만 남 보기만 그랬다. 난 딸과 다정하게 지내는 친구가 너무 부러웠다.

'빈 둥지 증후군'.

딸은 가끔 찾아오는 집도 아빠의 한두 마디 잔소리에 또 잃어버린 학창 시절 얘기로 가슴을 아프게 했다. 정작 아빠에겐 하지 못한다는 말을 엄마인 나에겐 쉽게 했다. '엄마가 편해서 그러겠지' 라고 위로하고 '얼마나 힘들면 그럴까! 그 마음을 내가 받아줘야지' 그러나 엄마라는 이름으로 견뎠던 그 힘을 다 소진할 탓일까? 방전된 듯 어떻게 해야 할지 때로는 당황스러웠고 언제까지 해야 하나 막연했다.

그러다가도 "엄마도 힘들었을 텐데."라며 딸도 자기 마음을 잡는 게 쉽진 않은 듯했다. 남편과 나는 우리가 이해하자고 마음을 추슬렀다. 하지만 시간이 지날수록 나의 회복탄력성은 무디어졌고 몸과 마음이 예전 같지 않았다. 누구는 사업 실패가 원해서 된 일인가? 그래도 최선을 다했다는 생각과 '딸이 느낀 상처가 영원히 멍에가 되면 어쩌지?' 하는 상반 된 감정들이 날 우울감 속으로 밀어 넣었다.

언니는 "아직 철이 덜 들어서 그래."라고 했지만, 딸과의 과거 속 이야기는 좀처럼 끝나지 않았다. 언제부터일까? 건강하다고 자부했던 몸도, 좀처럼 잊지 않았던 기억력도 조금씩 무딘 칼날처럼 변해간다. 남편은 왜 딸이랑 싸우냐고 했고 "아직도 서운한 게 많은 것 같다"라고 하면 오히려 화를 냈다. 남편의 마음도 편치 않겠지만 어른으로서 진정한 용기도 때로는 필요하다.

이런 힘든 상황에서 꿍이가 나를 달래준다. 큰소리 내는 가족을 보면 짖어대는 모습이 마치 대신 꾸짖는 것처럼 보인다. 딸은 빈 둥지에 가끔 가시 하나씩 두고 간다. 가끔 찔리는 가시에 눈물이 찔끔거린다. 가시를 내놓는 마음도, 찔리는 내 살점도 아픈 건 마찬가지. 하지만 나의 살아온 인생의 중간고사 성적표를 자꾸 낮추는 것 같아 자존감이 낮아지고 속상하다.

딸아이는 한 귀퉁이에 남아 있는 마음 가시밭에 찔릴까 봐 어찌 할 바를 모르며 화를 낸다. 성장기에 충분한 사랑과 배려로 영양을 공급받았다면 지금쯤 기름진 밭이 되었을 텐데……농사가 다 때가 있는 것처럼 자식 농사도 마찬가지이다.

힘든 부모님을 먼저 생각하느라 자기 몫을 놓쳐버린 내 딸에게 한없이 미안하고 마음이 아프지만 속수무책이다. 치유하는 방법을 제대로 모르는 엄마가 딸을 달래는 일도 한계가 있다. 시작은 좋은 의도였지만 잔소리처럼 받아들인다. 사랑하는 딸에게 어떠한 말보다도 진심으로 들어주는 게 최선이다.

시간이 지나, 딸의 원망하는 횟수는 줄었고 조금씩 나아지고 있다. 신체는 성장하였지만, 마음은 조금 더디게 성장하는 중이라고 생각한다. 그런 딸을 나도 성장하면서 기다리는 중이다.

이제 어떻게 해야 할까? 인생 2막의 중년의 여자, 급격한 신체의 변화와 정서의 탈수는 온전히 내 몫이다. 힘든 날을 자식 생각하며 견뎠고 힘이 되었고 빈 둥지가 된 지금. 이젠 내가 나를 온전히 채우고 싶다.

그리고 몇 밤을 돌아보고 뒤척이며 생각하다 문득 보게 되었다. 가장으로서 튼튼한 버팀목이 되고 싶었지만 그만 발을 헛디뎌 길을 잃고 헤매던 남편, 나보다 자식을 먼저 생각하고, 가정에서 큰 소리 안 나게 하려고 본래의 나를 잃어버렸던 젊은 엄마의 나. 그 와중에도 묵묵히 자기 일을 해주었던 고마운 아들, 그리고 울음을 참고 엄마, 아빠를 챙겨주고 자기도 안아달라는 '성인아이'인 딸. 문득 뺨에 눈물이 흘렀다. 과거 속 가족들에게 토닥여 주고 싶고 포근하게 안아주고 싶다. 모두가 애썼다고, 그리고 참 잘했다고.

'흔들리지 않고 피는 꽃이 어디 있으랴, 젖지 않고 가는 삶이 어디 있으랴'

어느 시인의 말처럼 지금 우리는, 힘든 시절과 젖었던 그때를 지낸 후 피워낸 꽃이다. 저마다 가슴 속에 미처 알지 못한 '성인아이'를 품은 채 고난과 상처, 때로는 사랑과 포용으로 키워 낸 열매이다. 저절로, 우연히 된 것은 없다.

어느덧 딸을 이해하고 보듬는데 8년이 되었다. 딸의 상처엔 미성숙했던 부모 잘못이 제일 크다. 뒤돌아갈 수 없는 시절, 소중한 어린 딸의 마음을 읽지 못했기 때문에 완전한 치유가 되지 않을 수도 있다.

그렇지만 '상처'라는 테두리 안에 우리가 희생하며 애썼던 것들이 빛을 발하지 못한다면 얼마나 애달픈가! 더 밝은 미래로 날아가려는 딸의 날갯짓에 과거의 상처가 버겁게 하고 있다. 부모로서 비상할 수 있는 날개를 달아주지 못해 미안하면서도 대견하다. 그러나 딸의 어릴 적 드로잉이 이미 지울 수 없는 유성펜으로 그려졌다.

지워지지 않을 펜 드로잉. 잘못 그린 펜드로잉은 지우개로 지울 수도, 그렇다고 찢어버리기엔 뒷장까지 너덜너덜 흩어져버리니 버릴 수도 없는 스케치북이다. 한 번씩 볼 때마다 보는 이를 아프게 한다. 그래서 생각했다. 어반스케치처럼 쓱쓱 그려진 펜드로잉에 색을 입히는 것이다.

내 인생에 색을 입히기로 했다. 고난을 겪었던 그 시간은 힘든 시간의 연속이지만 극복하고 이겨내면 한 번쯤 걷고 싶은 어반스케치 속 거리다. '용기와 극복'이라는 색으로, 때로는 '용서와 사랑'이라는 색을 더한다면 과거의 상처도 뒤돌아볼 만큼 마음의 근육이 생긴다.

사랑하는 딸도 과거의 상처에 색칠하기를 바란다. 어떤 작가는 '천 번을 흔들려야 어른이 된다.'라고 했다. 천 번이 흔들려 어른이 되는 것도 괜찮다. 그러나 흔들리는 사이에 아름다운 꽃잎이 너무 많이 지고 만다. 그렇다면 과거의 경험을 거울삼아 지금의 삶에 아름다운 색을 칠하는 것도 괜찮지 않을까?

과거가 현재의 나를 움직이는 것이 아니다. 미래의 꿈이 지금의 나를 움직이고 과거 역경을 재편성할 수 있어야 한다. 우리는 모두 아이였다. 완벽한 사람이 없듯이 모든 사람은 어느 정도 '성인아이'를 가지고 있다. 우리가 아이였다는 사실을 성인이 되어서 잊고 산다면 자신을 이해하는 열쇠를 잃어버린 것이다. '용서와 사랑'이라는 해결책으로 '성인아이'의 허기짐을 채워야 한다.

연은 순풍보다는 역풍에 가장 높이 난다. 지금 당면한 역풍에 어쩌면 연은 과거보다 더 높이 날 수 있을 것이다. 사랑하는 딸이 과거의 상처에서 나와 높이 나는 저 연처럼 되길 간절히 소망한다.

높이 나는 저 연처럼 더 넓고 아름다운 세상을 볼 수 있기를……

구경자

부모교육전문가, 심리상담사, 작가, 인문학강사
한국부모교육문화원 대표,
충북교육청지정 대안교육기관 대표, KACE청주 부모리더십센터장,
한국작가협회 충북·세종지부장
한국그림책코칭연구소장, 북&스터디카페 '라온'대표
상담학 석사, 교육학 박사중
부모, 청소년, 노인교육&강의경력 20년
[치유가 필요한 그대에게],[초등감성코칭]외 10권

그래서 인생

"영원히 살 것처럼 꿈꾸고 오늘 죽을 것처럼 살아라."
- 제임스 딘 -

그리워하라, 맘껏!

결혼 후 1년이 지나고 그토록 기다리던 임신 소식이 찾아왔다. 그 순간, 우주의 모든 행복이 내 안으로 쏟아져 들어온 듯했다. 하지만 이 기쁨은 잠시뿐이었다. 곧 '중증 근육 무기력증'이라는 무거운 이름의 희귀병이 내 인생에 그림자를 드리웠다.

출산은 여정의 고난을 예고했고, 아이를 품에 안은 순간의 기쁨은 곧 내 몸이 서서히 기능을 잃어가며 빛바랜 기억이 되었다. 아이를 안거나 업을 수 없게 되었고, 몸을 겨우 지탱하는 일조차 버거웠다. 희귀병은 명확한 발병 원인을 모르기에 제대로 된 치료법을 찾을 수 없었고, 반복된 수술로 인한 고통은 날이 갈수록 깊어만 갔다.

그러나 이 모든 시련 속에서도, 내 마음 한구석에는 아이에 대한 무한한 사랑이 깊게 자리 잡고 있었다. 그 작은 존재는 나의 고통을 잠시 잊게 해 주는 유일한 빛이었다. 매일매일의 아픔을 견디게 해 주는 힘은 그 작은 손길에서 왔다. 모든 아픔과 투쟁 속에서도, 그 사랑은 나에게 힘을 주었다. 나의 작은 영웅, 내 삶의 소중한 빛으로, 그 덕분에 나는 계속 싸울 수 있었다, 나의 아이와 함께.

병실에서의 생활은 오로지 두 어머니의 헌신적인 돌봄 덕분에 버텨낼 수 있었다. 아이는 시어머니의 사랑스러운 보살핌 아래에서 자랐고, 친정엄마는 내 곁을 지키며 24시간을 함께했다. 그런데도 나는 깊은 고통 속에 있었다. 몸의 아픔과 함께, 친정엄마의 무거운 존재는 내 마음을 더욱 짓눌렀다. 어린 시절부터 엄마는 나에게 겁나고 버거운 존재였다. 그 그늘은 늘 내 마음 한쪽에 무겁게 자리하고 있었다.

아빠는 자수성가하여 운수사업으로 크게 성공하셨지만, 내가 초등학교 4학년 때 사업 실패로 모든 것이 변했다. 엄마는 가정을 지키기 위해 생업에 매진하셨고, 나는 가정의 맏딸로서 동생들을 돌보며 집안의 무게를 견뎌야 했다. 그 어린 나이에 노력할수록 꾸중을 듣는 일상에서 상처받은 마음은 점점 지쳐갔다.

'오늘은 혼나지 않게 해 주세요.'라는 절박한 기도가 매일 밤하늘에 속삭여졌다. 나의 일상은 절대 쉽지 않았지만, 그 어려움 속에서도 작은 희망의 빛을 찾으려 애썼다. 매일매일을 견디며, 나는 강인함과 부드러움을 동시에 키워나갔다. 하지만 그 과정에서 서운함, 억울함, 그리고 두려움이 쌓여만 갔고, 그럴수록 엄마에 대한 미움도 자라났다.

어린 마음에 때로는 '우리 엄마는 계모일까?' 하는 철없는 생각마저 들었다. '다른 집 엄마들처럼 다정하게 물고 빨고 쓰다듬어 주지는 못하셔도, 나와 동생들이 느낄 수 있는 사랑을 표현해 주셨으면 얼마나 좋았을까.'

그러나 엄마는 사랑 표현에 서투른 분이셨다. 손 편지를 써서 사랑을 표현해달라고 부탁해 보기도 하고, 엄마 기분을 맞추며 애교를 부려보기도 했다. 그러나 몇 번이나 시도해도 엄마는 내 간절한 마음을 거절하셨고, 그러면서 내 가슴에는 작은 응어리가 생겨나기 시작했다.

그런데도 나는 포기하지 않았다. 엄마의 사랑을 느끼고 싶은 마음은 여전히 내 안에 간절했고, 그 간절함이 나를 더욱 강인하게 만들었다. 내 삶 속에 작은 빛을 발견하려는 노력은 계속되었고, 그렇게 하루하루를 견뎌냈다. 내가 품은 부드러움과 강인함이, 서로를 균형 있게 만들며 나를 성장시켜 나갔다.

병원에서 보내는 24시간은 육체적인 고통만큼이나 마음의 고통으로 가득 찼다. 엄마와의 작은 갈등이 생길 때마다, 어린 시절부터 쌓인 아픈 감정들이 불쑥불쑥 올라와 내 마음을 흔들었다. 엄마가 가족을 위해 희생하며 살아온 것에 대해 안쓰럽고 고마운 마음도 있었지만, 엄마의 서투른 감정 표현과 생활방식은 때때로 나를 답답하고 서운하게 했다.

몸이 반쪽이 되어 가고, 온몸이 마비되어 혼자만의 극한의 현실을 감내해야 했다. 움직일 수 없는 몸으로 식물인간처럼 느껴지는 그 순간, 나는 절망했다.

“도대체 내가 뭘 잘못했는데! 엄마의 따뜻한 사랑도 제대로 느껴보지 못한 나인데, 이건 너무하잖아요! 살려주세요!”

내 외침은 아무도 듣지 못했다. 나는 입술로 소리조차 낼 수 없는 존재가 되어 있었다. 나를 바라보며 우는 가족들의 슬픈 눈물이 내 마음을 더욱 아프게 했다.

‘가족들에게 난 무거운 짐이다. 내가 없어져야 저 눈물도 멈출 거야.’ 하는 생각에 점점 삶의 의지를 잃어가던 중, 엄마의 절규가 내 귀에 들렸다.

"이것아, 정신 차려! 너 재호 엄마라고! 넌 엄마야!"

친정엄마의 그 한마디가 나를 붙잡았다. 꽉 잡았다. 엄마는 나를 살리기 위해 모든 것을 다하셨다. 엄마로서, 나를 엄마로 살게 했다.

그날 이후, 엄마는 내 마음에서 가벼워졌다. 내 마음속에 무겁고 답답하게 자리 잡고 있던 것들이 쑥 내려가면서, 이상하게도 기분 좋은 가벼움을 느꼈다. 형언하기 어렵지만, 그렇게 가슴은 부자가 되었다. 수술로 남은 가슴의 흉터는 이제 철없는 딸이 엄마를 가슴으로 안은 사랑의 자국으로 여겨진다. 그 미운 자국조차 이제는 밉지 않다.

'고맙습니다. 내 상처, 내 사랑, 나의 엄마.' 그리워하라 맘껏! 내 마음속에는 이제 희망의 빛이 새롭게 빛나고 있다. 모든 고통과 슬픔 속에서도, 타인과 세상과의 관계를 통해 끝없는 사랑을 배워나가고 있다. 그 사랑은 나 자신을 더 강하게 만들고, 삶의 어둠 속에서도 빛을 찾게 해 주고 있다.

나는 이제 이 감정들을 그리워한다. 맘껏!

어린 시절의 고통, 성장하는 과정의 아픔, 그리고 모든 어려움을 겪으며 얻은 교훈을. 이 모든 것이 나를 오늘의 내가 되게 했으니, 이제 나는 이 감정들을 사랑으로 받아들인다. 그리고 무엇보다, 나는 내 아이에게 엄마로서 내 엄마에게 딸로서 더 나은 사랑을 주기 위해 계속해서 성장할 것이다. 나의 아이, 나의 엄마, 내 가족, 그리고 나 자신을 위해.

모두가 이번 생이 처음

나는 스물여섯 해를 부모로 살아왔다. 부모 나이 스물여섯. 실제 나이는 아니지만, 이만큼의 시간 동안 나는 부모의 역할을 맡으며 성장해 왔다. 중환자실에서 기적적으로 회복한 후, 병실에서 아이가 첫걸음마를 뗄 때 눈물로 그 순간을 맞이했다.

세 살이 된 아이가 "엄마!"라고 부르며 달려왔을 때, 아이를 두 손으로 세게 밀쳐냈다. 몇 번을 수술한 가슴뼈가 아팠기에 나도 모르게 순간 아이를 방어했고 엄마로서 아이를 품는 그 소중한 순간을 놓치고 말았다. 아이는 울음을 터뜨렸고, 나는 그 작은 몸을 꼭 안으며 함께 눈물을 흘렸다. 아이의 작은 손이 내 등을 토닥이며 위로할 때, 내 가슴은 온통 아픔으로 가득 찼다.

엄마로서 살아가기 위해 목숨을 걸고 버텨냈음에도 불구하고, 건강하고 안정적인 애착 관계를 만들지 못한 채로 우울과 불안이 내 마음을 어지럽혔다. 하지만 어느 봄날, 아파트 3층 베란다에서 불어온 포근한 봄바람이 나를 감싸 안고는 어디론가 데려가려 했다. 나를 위로하고 따스하게 안아주는 바람과 함께 가벼운 걸음을 걸었다. 그때 문득 아이의 웃음소리가 또렷이 들렸고 나의 발걸음을 멈추게 했다.

"우리 아기! 난 엄마야!" 그 순간, 나는 내가 무엇을 하려 했는지 깨달았다. 삶의 절벽 끝에서 다시 깨어났다.

그 경험은 나의 정체성과 자존감을 회복하는 데 결정적인 역할을 했다. 이후 나는 삶의 의미와 재미를 찾기 위해 집중했다. 몸과 마음의 건강을 회복하기 위해 수중 운동과 걷기를 시작했고, 우울과 불안을 이겨내기 위한 정서 치유 활동에 참여했다. 그 과정에서 잊고 있었던 과거의 꿈, 현재의 욕구, 그리고 미래의 희망을 다시 그려보며, 그 꿈들을 현실로 만들기 위해 행동으로 옮겼다.

화가로서, 선생님으로서, 아나운서로서 내 꿈을 실현하는 과정에서 큰 행복을 느꼈다. 모든 인생은 처음이기에, 이번 생을 살아가는 나는 매일 성장하고 있다. 처한 상황에서 최선을 다하며, 매 순간을 소중히 여기며 살아간다. 오늘을 아름답게 살아가는 이야기를 세상에 전하며….

내 삶은 언제나 쉽지만은 않았지만, 삶의 순간마다 의미와 즐거움을 찾으려 애썼다. 나는 끊임없이 배우고, 변화하고, 성장해 왔다. 스물여섯 해 동안의 부모로서의 경험은 나에게 무수한 교훈과 사랑을 가르쳐 주었다. 아이와 함께 웃고, 아이와 함께 울면서, 나는 진정한 의미에서 어떻게 사랑하는지, 어떻게 누군가를 돌보는지 배웠다. 이 모든 경험이 나를 더 강하고 부드러운 사람으로 만들었다.

나는 각각의 어려움을 겪으면서도 결코 희망을 잃지 않으려 노력했다. 아이의 웃음소리가 어려운 순간마다 나를 구해주었고, 삶의 의미를 다시금 일깨워 주었다. 그리고 이제 나는 더 큰 꿈을 향해 한 걸음씩 나아가고 있다. 우리가 모두 처음 겪는 이번 생에서, 나는 스물여섯 살의 엄마로서, 매일매일을 성장의 기회로 삼고 있다. 나의 역할은 단지 엄마로서만이 아니라, 한 인간으로서 계속해서 성숙해 나가는 것이다.

그리고 나는 이 여정을 사랑한다. 이 모든 경험을 통해 나는 더욱 풍부하고, 의미 있는 삶을 살아가게 되었다. 나는 이번 생에서 처음으로, 매 순간을 최선으로 살아가는 스물여섯 살의 엄마다.

이것이 나의 이야기다. 인생은 한 번뿐인 여행이고, 모든 순간은 새로운 시작이다. 모든 어려움과 기쁨을 품으며, 오늘도 내 삶의 주인공으로서, 꿈꾸는 삶을 살아가고 있다. 나의 경험은 나를 정의하고, 나의 사랑은 나를 이끈다. 지금, 이 순간 이 모든 것을 소중히 여기며, 항상 앞으로 나아갈 준비가 되어 있다.

나날을 새롭게 맞이하고 매 순간을 기쁨으로 채우며 나는 이

특별한 인생 여정을 계속해서 걸어갈 것이다. 모두가 이번 생이 처음이듯, 나 또한 날마다 새롭게 시작하는 스물여섯 살의 엄마다.

그것만으로도 꽤 좋은 인생

행복은 시간의 흐름 속에서 펼쳐지는 순간의 기억과 같다. 우리가 가슴에 담아두는 그리움 가득한 어제의 추억이 행복일 수 있으며, 기대되는 내일에 대한 희망 또한 행복의 한 형태다. 재미있고 의미 있는 순간을 하나하나 이어 가며, 현재를 살아가는 우리의 모습에서 진정한 행복을 발견한다. 이것이 바로 치유이자, 진정한 힐링의 시작이다.

종종 우리는 자신이 사는 세상을 전쟁터로 여기며, 먼 곳에 있는 타인의 삶을 아름다운 풍경처럼 동경한다. 그러나 그들 또한 아마 나를 바라보며 같게 생각하고 있을지도 모른다. 행복은 때때로 멀리 있는 것처럼 느껴지지만, 실제로는 매우 가까운 곳에 존재한다. 멀리만 바라보지 말고, 바로 옆에 있는 행복을 찾아내고, 그 작은 행복들을 하나씩 쌓아가면 우리의 삶은 자주 그 행복을 맛볼 수 있을 것이다.

내면의 나와 잘 지내는 것이야말로 행복의 첫걸음이다. 현재에 집중하는 삶은 최고의 행복을 만들어가는 지혜로운 방법이다. 과거에 머무르면 우울함에 사로잡히기 쉽고, 미래에만 집중하다 보면 불안함에 시간을 낭비하게 된다. 우리는 현재를 살고 있으며, 바로 지금, 이 순간에 집중하는 것이 인생을 풍요롭게 만드는 비결이다.

또한, 우리는 각자의 행복 기준을 점검해야 한다. 어떤 이에게는 소유의 즐거움이, 또 다른 이에게는 가치의 실현이 중요할 수 있다. 행복의 기준은 사람마다 다르므로, 이를 존중하면서 자신의 선택과 삶의 태도에 성실해야 한다.

우리는 모두 연결된 세상 안에서 살아가고 있으며, 많은 이들이 평화로운 세상을 꿈꾸고 사랑을 실천하려 노력하고 있다. 사랑과 평화는 두려움과 함께 할 수 없다. 두려움이 존재하는 곳에서는 진정한 평화가 꽃 피기 어렵기 때문이다. 그렇기에 내면부터, 우리 가정에서부터 시작하는 사랑의 언어로 미움과 두려움을 녹여내는 노력이 중요하다.

우리 삶의 맛은 오미자처럼 다양하다. 때로는 쓰고, 매우며, 짜고, 시고, 달콤하다. 이 다양한 맛들이 우리 인생에 재미와 의미를 부여하며, 살아볼 만한 가치가 있음을 일깨워 준다. 인생의 각기 다른 맛을 최선으로 맛보며 살아가는 우리는, 그때마다 최고의 인정을 받지 못할 수도 있다. 때로는 투명 인간처럼 취급받으며 차별을 느낄 때, 인생의 쓴맛을 경험하게 된다. 서러움, 속상함, 외로움이 우리를 감싸며 잠시 기운을 잃게 만들기도 한다.

하지만 결코 하찮은 일이란 없다. 우리 사회를 유지하며 삶을 영위하는 데 필수적인 일들을 수행하는 사람들 덕분에 우리는 안정적으로 살아갈 수 있는 것이다. 일에 대한 차이는 있을지언정, 그것을 차별의 시선으로 바라보는 것은 잘못된 태도이다. 감사함을 표현하는 것이 부족할 때 우리 주변은 불편해진다. 인정받지 못할 때, 존중받지 못할 때의 인생 맛은 쓰지만, 이 또한 삶을 풍부하게 하는 경험이다.

매운맛 인생은 때로 우리를 강하게 만든다. 누군가의 손가락질에도 불구하고, 내가 선택한 길을 기꺼이 걸을 때 느끼는 뿌듯함과 만족감은 삶을 에너지로 가득 채워 준다. 내 삶의 가치는 내가 정하며, 내 선택과 집중은 내 몫이다. 그렇게 매운맛도 삶의 참맛을 제공해 준다.

짠맛 인생은 노력과 땀의 결과다. 힘들게 일한 끝에 느끼는 성취감은 선한 영향력을 미치며, 그것이 세상에 긍정적인 변화를 불러온다. 누군가를 위해 일하며 느끼는 존재의 가치는 우리를 격려하고 응원하고 있다.

신맛과 단맛 인생은 우리에게 활력을 준다. 때로는 시련을 겪으며 배우고, 때로는 달콤한 성공을 맛보며 행복을 연습하고, 매 순간을 소중히 여기면서, 우리는 인생의 다양한 맛을 경험하게 된다. 이것이 우리가 각자의 자리에서 최선을 다해야 하는 이유이다. 어떤 순간에 우리는 최고의 인정을 받지 않을 수도 있고, 때로는 눈에 띄지 않을 수도 있지만, 이 모든 경험이 우리를 더욱 단단하고, 깊이 있는 존재로 성장하게 한다.

살아가면서 겪는 쓴맛, 매운맛, 짠맛, 신맛, 단맛은 각각의 순간에 우리에게 중요한 교훈과 기쁨을 제공한다. 이 다양한 감정들은 우리의 삶을 풍성하게 하며, 각각의 맛이 조화를 이루어 우리의 인생을 완성해 간다. 우리는 이러한 경험을 통해 자신만의 삶의 맛을 찾아가고, 그것을 존중하고 가꾸어 나가는 지혜를 배우게 된다.

우리 각자가 겪는 고통과 기쁨, 성공과 실패는 모두가 공감할 수 있는 인간적인 경험이다. 이러한 경험을 통해 우리는 더욱 연결되고, 서로를 이해하며, 함께 성장할 수 있다. 사랑과 평화를 추구하는 것, 두려움과 불안을 극복하는 것은 단지 개인적인 여정이 아니라, 우리가 모두 함께 나아가야 할 방향이다.

날마다 새롭게 시작하는 용기와 자세는 우리가 매 순간을 최선으로 살아가도록 돕는다. 아름다운 오늘을 사는 것, 그것만으로도 꽤 좋은 인생이다. 우리는 이 아름다운 순간을 축하하고, 감사하며, 삶의 매 순간을 풍성하게 만드는 것이 진정한 행복의 비결이다.

그러니 오늘도, 내일도, 매 순간 행복을 연습하며 살아야 한다. 우리의 인생은 그 자체로 가치 있고, 모든 경험은 우리를 더 나은 사람으로 만들기 위한 것이다. 이것만으로도 우리의 삶은 충분히 의미 있고, 꽤 좋은 인생이다.

그래서 인생!

결국, 인생은 예상치 못한 순간에 가장 귀중한 교훈을 선사한다. 죽음의 문턱을 넘나들며 인생의 소중함을 새삼 깨달았다. 이 경험은 나에게 삶의 무게를 견디고, 더 나아가 매 순간을 충실히 살아가야 할 이유를 알려 주었다.

지금, 이 순간도 우리는 모두 각자의 싸움을 치르고 있을지 모른다. 그러나 희망은 언제나 존재하며, 어두운 터널의 끝에서 반드시 빛이 비치기 마련이다. 누군가에게 나의 이야기가 용기를 줄 수 있다면, 그것으로 충분하다. 감사한 오늘이다. 삶은 때때로 우리를 시험에 들게 하지만, 결국 우리는 모두 자신만의 방식으로 그 시련을 헤쳐 나갈 힘을 가지고 있다.

'그래서 인생'은 계속된다. 어떠한 어려움도 영원하지 않으며, 우리 각자는 자신만의 이야기를 써 내려갈 권리가 있다. 이야기가 끝나는 곳에서 새로운 이야기가 시작될 것이다. 각자의 인생을 긍정적으로, 열정적으로 살아갈 수 있기를 바란다.

그러니까 인생.
그래도 인생.

그래서 인생.
인생은 순간이다.

김영희

줌추는책, 허브&플라워 대표
교육학 석사, 국어교육 전공
온/오프라인 글쓰기 강의, 부모 교육,
자기주도학습 강의, 책 쓰기 강의
초, 중, 고 교육 경력 20년
한국작가협회 평택안성지부장
한국출판지도사협회 부회장/경기남부지부장
자격증육아 외 22권

책이 바꾼 인생

"인간이 자신의 정신으로부터 만들어낸 것들 중
최대의 것이 책이다."

- 앙드레 지드 -

쏘아 올린 불행의 활

1991년 꽃샘추위가 한창이던 어느 날, 전화가 울렸다. 지금 생각해도 듣고 싶지 않은 말이 수화기 너머에서 들려왔다. 아버지의 교통사고 소식을 전한 외삼촌의 목소리도 한층 격양되어 있었다.

쿵! 하는 심장 소리와 '뛰어야 해!'하는 내 속에 소리가 뒤섞여 아무것도 할 수 없었다. 나는 앉아서 뛰었다. 마음이 먼저 앞으로 달리고 있었기 때문에 몸이 가지 않을 수 없었지만, 한동안 그대로 멈춰 있었다. 그때였던 것 같다. 내가 앉아서도 뛰는 습관이 생긴 것이. 지금의 나는 중요하지 않았다. 내일만 생각하느라 오늘을 제대로 살지 못했다.

내 나이 13살, 아버지가 교통사고를 당한, 그날 이후로 홀로서기가 시작됐다. 사경을 헤매는 아버지 곁을 어머니가 지켜야 했기 때문이다. 형제자매가 없었기 때문에 오롯이 혼자 먹고 자고 학교에 가야 했다. 외롭고 두려웠다.

동네 어른께서 자주 와서 챙겨 주시고 친구들이 가끔 함께 있어 주었기 때문에 외롭고 힘든 시기를 견딜 수 있었다. 아버지의 입원 기간이 길어질수록 혼자 생활하는 것에 익숙해지고 때로는 즐길 수 있게 되었다. 그러던 어느 날, 아버지께서 집으로 돌아오셨다.

"너는! 아빠 병원에 오지도 않고! 나쁜 것 같으니라고!"

긴 병원 생활을 정리하고 돌아오신 아버지는 완전히 다른 사람이 되어있었다. 작은 일에도 화를 내시고 자주 소리를 지르셨다. 아버지는 평소 나에게 화를 내는 분이 아니셨기 때문에 무척 큰 충격이었다. 병원이 멀어 자주 찾아뵙지 못한 것은 사실이지만 불같이 화를 내시는 아버지 모습을 보며 나는 어찌할 바를 모르고 얼어붙어 버렸다.

사고가 나기 전까지는 부모님이 가끔 다투셨어도 나에게는 한결같이 대하셨다. 특히 아버지는 나를 무척 아끼셨기 때문에 어머니가 매질이라도 할라치면 불같이 역정을 내셨다. 그런 아버지께서 나를 나무라신 것은 그때가 처음이었다.

그날 이후, 부모님은 자주 싸우셨다. 싸웠다기보다는 어머니가 일방적으로 당했다고 하는 것이 맞을 것이다. 술을 곁에 두는 날이 늘어나기 시작한 어느 날, 아버지는 어머니를 괴롭히고 때리기도

하셨다. '아, 나는 왜 저런 분들 밑에서 태어났을까?' 하면서도 엄마가 다치지는 않을지 온 마음을 다해 싸우는 소리에 집중했다. 힘들고 불안한 시간이었다.

열아홉, 많지 않은 나이에 내가 나를 책임지는 것이 힘든 일인 줄 몰랐다. 사회생활을 하면서 인정받고 약간의 자유를 얻은 것이 좋았다. 월급을 받으면서 경제적 독립이 나를 단단하게 만들어 주었지만, 부모에 대한 책임을 보너스로 받았다.

점점 몸이 작아지고 야위어 가는 아버지를 보면서 원망과 분노가 색을 잃어 갔다. 내가 나에게 주던 상처도 아물기 시작했다. 변함없이 자신을 살리지 않는 아버지를 볼 때마다 화가 치밀어 올라왔지만, 아버지의 살아온 삶을 듣게 된 24살 봄, 나는 아버지를 이해하기 시작했다.

4년을 벌어 늦깎이 대학생이 된 나는 첫 과제로 부모님의 인생 보고서를 써야 했다. 아버지와 대화가 없었던 나는 곤란하기 짝이 없었다. 미루고 미루다 과제 제출일을 3일 남겨 놓은 날, 변함없이 술을 마시고 계신 아버지께 여쭈었다.

"아버지, 어릴 때 어땠어요?"

"배우고 싶었지, 학교에 가고 싶었다."

아버지의 그 첫마디와 두 번째 말의 간격이 길어졌고 이야기가 이어졌다. 나는 그제야 아버지가 왜 이런 삶을 살게 된 건지 알 수 있었다.

사별한 남자의 후실로 들어가 첫 아이를 낳은 어머니 밑에서, 없이 사는 살림에 초등학교 1학년을 다니다 말고 남의 집 머슴살이 하게 된 불쌍한 시골 소년, 그것이 어린 아버지의 모습이었다.

스물여섯, 힘든 군 생활 속에서도 얼마 되지 않는 월급을 한 푼도 쓰지 않고 모으셨다는 아버지, 스물아홉 나이에 얼굴도 모르는 여자와 중매로 결혼하고 두 명의 아이를 하늘로 보낸 뒤, 8년 만에 얻는 딸아이, 그게 바로 나였다.

배운 것도, 지원자도 없었던 아버지는 몸을 밑천 삼아 아내와 딸을 먹이고 입히셨다. 밤 9시 이후 전기를 쓰는 일이 없었고 택시 한 번 타지 않으셨다. 사고가 나기 전까지 아버지는 악착같이 아끼고 모으며 행복한 미래를 꿈꾸셨다.

가진 것도 물려받은 것도 없는 내가 할 수 있는 일은 스스로 벌어 배우는 일이었다. 4년을 벌어 대학에 다녔고 악착같이 일하면서 배웠다. 낮에는 일하고 밤에는 배우기를 4년, 그리고 다시 5년을 벌었다.

인생이 뒤집히고 처음 한 일이 대학원 진학이었으니 내가 아버지께 받은 유산이 또 하나 있는 셈이다. 배움에 대한 열망! 어떻게 해서든 하나 있는 딸자식은 잘 가르치고자 했던 아버지의 소원을 내가 이루어 드리고 싶었던 것인지도 모르겠다.

아버지께 받은 유산과 내 속에서 만들어진 프로그램대로 돈을 쓰면 죄책감이 밀려왔고 한 번에 여러 가지 일을 하며 악착같이 살았다. 일하면서도 다음 일을 미리 생각하고 오늘을 살면서도 내일을 걱정했다. 뭔가를 하지 않고 있으면 불안했다. 뭐든지 해야만 살아 있는 것 같았다. 그렇게 하루하루 나는 없고 일만 있는 날이 쌓여갔다. 그리고 시간은 쉼 없이 내달리고 있었다.

아버지 사고 이후, 2년 만에 어머니도 경제력을 상실하고 보상금을 까먹으며 생계를 유지할 때, 남들처럼 살 수 없음을 알 수 있었다. 슬프거나 억울하지 않았다. 단지 '내가 이분들을 책임져야 하겠구나' 생각했다. 이른 나이에 '경제력을 잃은 부모님을 내가 책임지려면 앉아서도 뛰어야겠구나' 생각했다.

일하면서 배우고 하루에 7곳을 돌아다니며 아이들을 가르쳤다. 끼니를 거르는 날이 많아졌고, 먹더라도 길거리 음식이 대부분이었다. 빨리 먹고 다른 곳으로 이동해야 하니 서서 먹을 수 있는 어묵이나 빵으로 배를 채웠다. 힘든 줄 모르고 일했다. 내가 스스로 만들어갈 수 있는 일이라서 좋았다.

더 잘하기 위해서 더 많이 벌기 위해 이리 뛰고 저리 뛰었다. 그러는 사이에 나는 점점 더 사라지고 일만 남았다. 일을 많이 하는데도, 불안했다. 더 해야 할 것 같고 지금 당장이라도 일을 잃을 것만 같았다. 앉아서도 뛰는 습관은 서른 해가 지나도록 고쳐지지 않았다.

나를 살린 사랑

나를 사랑하는 사람, 조건 없이 사랑을 주는 사람을 나는 믿지 못했다. 세상은 무서운 곳이고 사람은 믿지 못할 존재였기 때문이다. 나는 세상이 나에게 상처를 주고 있다고 믿었다.

그러는 동안에 진정한 사랑이 찾아와도 밀어내고 또 밀어내고 끊임없이 밀어냈다. 마음에 비수를 꽂고 신경도 쓰지 않았다. 우울증과 불안장애를 한꺼번에 겪으면서 다가오는 사람을 짐승처럼 여기기도 했다. '나를 어디에 팔아먹으려고 저러나?' 하는 미친 생각도 했다.

그렇게 나는 안으로 계속 숨어 들어가기만 했다. 마음의 문은 굳게 닫히고 점점 더 나를 다그치고 미워했다. 다른 사람들과의 관계는 점점 나빠졌다. 그럴수록 외로움과 두려움은 커지고 나를 있는 그대로 아끼고 사랑하는 사람이 필요했다.

내가 나를 사랑하는 것은 처음부터 시도하지 않았다. 진짜 사랑은 쓰레기통에 집어 던진 셈이다. 잘근잘근 씹고 밟아서 본래의 형체를 알아볼 수 없게 짓눌러 던져 버렸다. 나는 그렇게 나로부터 버려졌다. 나를 살릴 기회를 날린 셈이다.

사람은 단 한 사람만 자신을 믿어주고 기다려 주면 절대 세상을 놓지 못한다. 사랑하는 연인이든 자기 자신이든 말이다. 그런데 중요한 것은 받아들일 수 있는 마음의 공간이 아주 조금이라도 남아 있어야 한다는 것이다. 내 마음속에는 1%의 공간도 남아 있지 않았다. 세상에 대한 두려움과 나에 대한 미움으로 가득 채우고 말았다.

우울증과 불안장애는 어느 날 갑자기 오지 않는다. 내가 나를 미워하기 시작할 때 씨앗은 뿌려지고 다른 사람이 원하는 것만 생각하느라 나를 돌보지 못하면 빠른 속도로 자라며 내일을 준비하느라 오늘을 살지 못하면 최선을 다해 달려와 마음을 덮친다.

그렇게 내 마음을 향해 전속력으로 달려와 덮쳤는데도 나는 그것이 우울증인지도 모른 채 살았다. 내 마음을 갉아먹고 시간을 마시고 관계를 찌그러 놓는 동안 나는 넋을 잃고 가만히 바라만 보았다. 가끔 치가 떨리게 두려워 몸을 웅크렸을 뿐 미동도 하지 않고 그것이 하는 대로 두었다.

내 곁에 아무도 남지 않았다고 느껴질 때, 혼자 다 짊어져야 할 무게를 느꼈을 때 나는 걷잡을 수 없는 두려움으로 빨려 들어갔다. 어디로 가는지도 모르고 계속해서 끌려다녔다. 혼자서는 도저히 빠져나올 수 없는 블랙홀과 같았다.

희미하게 보이는 구원에 손길을 나는 놓치고 또 놓쳤다. 잡았다가도 스스로 뿌리치기를 반복했다. 그러는 동안 나는 더 약해지고 작아지고 곧 흔적도 없이 사라질 것 같았다. 그 모습을 언제나 안타깝게 지켜보는 눈이 있었는데 나는 모르고 있었다. 어린아이 한 명과 어른 한 명이 각자가 할 수 있는 최선을 다하면서 나를 끊임없이 지켜주고 있었다.

세상에 대한 오해로 뒤틀리고 흔들릴 때 바로 잡아주고 끌어주던 작은 소녀, 제 몸에 몇 배나 되는 나를 있는 힘을 다해 붙잡아 끌던 그 아이 덕분에 나는 다시 일어났다. 나의 가장 깊은 곳의 치부도 마음껏 토해 놓으라고 말하던 그 소녀, 자신이 치우겠다며 마음껏 꺼내 놓으라고 말하던 그 아이는 지금 나보다 더 큰 사람이 되어있다.

사람은 누구나 흔들리며 살아간다. 한 번도 흔들리지 않고 살아간다면 그것은 행운일까? 실패의 경험은 나를 만들어 준 하나의 거름이었다. 실패가 실패로 남지 않도록 해준 가장 큰 지원자는 바로 나의 첫 아이, 첫딸이다.

나의 친구이고 스승이며 엄마인 딸아이, 지금도 내가 옳은 방향으로 걸어갈 수 있도록 도와주는 나의 기수다. 혹자는 말한다. 엄마는 아이의 길을 열어주어야 하고 등불이 되어주어야 하며 언제나 그 자리에서 기다려야 한다고. 틀린 말은 아니다.

하지만 엄마도 흔들리며 기다릴 수 있다고 믿는다. 엄마도 사람이고 꽃처럼 흔들리며 피는 존재다. 엄마도 아이에게 기댈 수 있고 아이를 보고 배울 수 있으며 아이와 함께 성장할 수 있다. 때로는 아이보다 천천히 자신만의 속도로 갈 수 있고 많이 쳐진 엄마의 손을 아이가 잡아줄 수도 있다고 믿는다.

그렇게 나는 아이와 함께 한발 한 발 이곳까지 왔다. 내가 나를 사랑하는 힘이 없이도 아이를 사랑하는 힘으로, 아이가 나를 기다려 주고 끌어주는 힘으로 이곳까지 무사히 왔다. 그래서 아이는 나의 스승이고 친구이고 엄마다.

내 아이가 엄마를 믿고 기다리는 진정한 사랑을 쓰레기통에 던지고, 다시는 꺼내지 않으려 했다. 내 부모님의 깊은 사랑이 소중한 아이를 살리고 덕분에 나까지 살렸다. 내가 미친 듯 방황했던 1년 동안 부모님도 많이 지치셨지만, 결단코 놓지 않았던 손녀 사랑, 그 덕분에 우리가 여기에 있다.

또 하나의 사랑, 내가 찾으면 한숨에 달려와 준 고마운 사람이 있었다. 하필 내가 제일 아플 때 내게 온 덕분에 그 사람은 한없이 버려지고 차였다. 참 많이도 힘들게 했다. 나 하나도 어쩌지 못하는 사이에 다른 사람을 마음에 들일 여유가 남아 있지 않다는 이유로 늘 화내고 무시했다.

사라지고 숨기도 여러 번, 결국 그 사람은 나를 떠날 채비를 하고 있었다. 턱하고 숨이 막혔다. 아무것도 남아 있지 않다고 생각했고 마음속에 더 이상 비집고 들어올 자리가 없다고 믿었는데 갑자기 큰 공간이 생겨버린 후 에너지 파장이 나를 너무 크게 흔들어버렸다. 그리움으로 가득 찬 마음과 영혼이 내 심장을 높은 밀도로 조여오고 있었다.

내가 약의 힘으로 잠을 자고 점점 더 의지하고 있을 때 그가 말했다.

"이제 약 없이 잠을 자야 해. 내가 도와줄게. 이제 끊어보자. 재밌는 이야기도 하고 기분 좋았던 때도 떠올려 보자"

그렇게 나는 이틀 밤을 뜬눈으로 지내고 사흘째 되던 날 졸고 깨기를 반복하다 나흘째 되던 날 드디어 잠이라는 것을 잤다. 깨지 않고 4시간 정도 잔 것 같다. 그 이후로 나는 약 없이도 잠을 잘 수 있었다.

그 사람 덕분에 나는 약 없이도 꿈을 꿀 수 있고 개운하게 아침을 맞이할 수 있게 되었다. 그는 나를 약으로부터 구했고 일상을 찾아주었고 다시 사람 구실을 하게 만들어주었다. 그는 삶의 은인이다. 세상에서 가장 소중한 걸 선물한 산타할아버지 같은 존재다.

그 사람은 나의 남편으로, 두 아이의 아빠로 든든하게 자리하고 있다. 어떤 일이 있어도 흔들리지 않고 떡하니 버텨낼 사람, 어떤 시련이 와도 가족을 지켜낼 사람이다. 지금도 미안하고 고마운 은인이다.

그리고 나는 다른 삶은 살기 시작했다

가난한 집 늦둥이, 무남독녀로 태어나 큰 역경 없이 자랐다. 가난한 것 말고는 흠잡을 것 없는 가정이었다. 아버지는 열심히 일했고 어머니도 힘을 보탰다. 우리 가족은 단란하고 행복했다. 1991년 봄, 그 전화를 받기 전까지는.

아버지의 사고는 가족의 행복과 미래의 희망을 함께 가져갔다. 다시 일어설 힘을 주지도 않고 아버지의 무릎을 꺾어 놓았다. 몸이 주저앉으니, 마음도 힘을 잃었다. 마음이 힘을 잃으니, 병도 쉽게 찾아왔다. 아버지 마음속에서 2년간 함께 생활한 의처증은 또 한 번 우리 가족을 병들게 했다.

어머니의 사회생활도 자물쇠로 걸어 잠그고 안으로만 파고들었다. 건강했던 육체와 유쾌한 정신은 어디론가 떠나고 우울하고 나약한 몸만 남았다. 그러니 어떻게 살아낼 수 있었겠는가. 우리는 방법을 알 수 없었다. 하루하루 죽지 않고 살아가는 수밖에.

아버지는 엄마에게 상처를 주고 엄마는 고스란히 받았다. 나는 두렵고 불안했다. 그렇게 10대를 보냈다. 어른이 되고 사회생활을 하면서 인정받고자 노력했다. 다른 사람 신경 쓰느라 내가 없는 삶을 살았다. 그러다 짐승을 만나고 나는 맨발로 세상에 뛰어들었다.

아무것도 남지 않은 어느 날, 내게 다시 물을 주기 시작한 것이 바로 배움이었다. 배우면서 나는 다른 삶을 살기 시작했다. 책을 만나고 이전에 해보지 않았던 것을 하고 사람들을 만나면서 다양한 삶의 방식을 배우기도 했다.

내 아이 하나 잘 키워보겠다고 시작한 공부도 습관으로 자리를 잡았다. 배우고 가르치는 삶, 내가 행복할 수 있고 남도 행복하게 만드는 삶, 나에게 가치 있는 일이 남에게도 가치 있는 일이 되는 그야말로 가치 있는 인생을 살게 된 것이다.

우물 안 개구리로 살았던 30년 세월이 무색할 만큼 육아하며 배우는 삶은 나를 순식간에 바꿔 놓았다. 삶의 터전을 옮겨 온 것도 큰 역할을 했겠지만 가장 큰 변화 요인은 책이었다. 책은 나와 아이의 인생을 바꿔 놓았다. 사는 곳과 만나는 사람 그리고 책, 모든 것이 달라졌다.

박사학위 취득을 포기한 것도 최고의 선택이라고 생각한다. 배우는 것도 좋지만, 현장에서 아이들을 계속 만날 수 있었기 때문에 지금의 삶이 가능했다. 길이 아니면 돌아서 갈 줄도 알아야 한다. 내가 박사과정을 포기하지 않았다면 어떤 삶을 살고 있을지는 아무도 모른다. 하지만 나는 지금 내 삶이 좋다.

아이들과 함께 책을 읽고 토론하는 것이 좋다. 진로를 함께 고민하는 것도 행복하다. 독서를 통해서 생각이 커지고 삶에 접목하면서 성장하는 모습을 지켜보는 것이 참 좋다. 내가 그랬듯이 아이들도 책과 스승을 통해서 제일 먼저 자신을 돌아보고 어떻게 살아야 할지를 고민했으면 좋겠다. 그래서 자신이 진정 좋아하는 일을 찾고 그 일이, 잘하는 일이 되는 과정을 몸소 체험했으면 좋겠다.

나의 경험이 아이들에게 도움이 되었으면 한다. 그래서 나는 아이들에게 나의 이야기를 자주 들려준다. 교생 시절, 국어 시간에 3분의 2의 학생이 책상에 엎드려 자는 모습을 목격했을 때 나는 적지 않은 충격을 받았다.

내가 들어가는 1학년과 3학년 교실에서는 결코 자는 학생이 한 명도 없게 하리라 다짐하고 6시간 동안 학습에 필요한 것을 만들었다. 아이들의 이름을 하나씩 오려 자석을 붙이고 조별 이름도 만들어 수업했다. 조를 나누는 데에 3일이 걸렸다.

아이들 한 명 한 명 앞으로 나와 자신의 이름을 떼고 옮겨붙이며 조 짜는 게임에 빠져 한 아이도 엎드려 자지 않았다. 조를 짠

다음에는 무조건 토론 수업을 했다. 주제가 무엇이 되었든 한 명씩 발표하고, 조별 점수를 붙이고 수업이 끝날 때마다 뽑기를 통해서 선물을 주었다.

'희(Hee)스토리'라는 강의 시간을 만들어 나의 자격증에 관한 강의를 했을 때는 아이들 눈이 반짝 빛났다. 이후 나는 전 교실을 돌아다니며 같은 강의를 했다. 아이들이 나에게 편지를 주며 고맙다고 했다. 어떤 아이는 자신이 좋아하는 것이 뭔지 알게 됐다면서 자격증부터 취득하겠다고 말했다.

나는 전화로 영어독서와 학습 코칭을 하기도 했는데 부모님들이 아이들과 함께 할 수 있는 활동과 학습 동기부여 방법을 궁금해하셨다. 유선으로 하는 코칭이니 한계가 있어 글로 정리해서 보내드리면 하나씩 실천해 보며 이런 책이 있으면 좋겠다고 하셨다.

책을 쓸 생각을 그때 했던 것 같다. 내 경험을 책으로 남기면 내 아이도 보고 다른 엄마들도 참고하면 좋을 것 같았다. 막연한 생각이었다.

평소 아침 일기를 쓰고 단기 및 장기 계획을 기록하긴 하지만 책으로 나의 이야기를 기록해 두어야겠다는 생각은 구체적으로 해본 적이 없었다. 나는 아이들과 함께 있는 시간이 좋다. 부모님들과 함께 이야기 나누는 것도 무척 좋다.

그래서 지금은 함께 글 쓰는 일을 하고 그 글이 책에 담겨 세상에 나오게 하는 일을 하고 있다. 작가가 된다는 것은 그 분야에 전문가로 인정받는 일이다. 따라서 강사로서 활동을 바로 시작할 수 있다. 그뿐 아니라 출판지도사를 양성하고 작가를 배출할 수 있다.

나는 글 쓰는 삶을 살기로 했다. 기록을 남기는 삶을 살기 위해서 시작했다가 나를 돌아보는 글쓰기로, 이제는 위로하는 글쓰기를 하면서 또 다른 나를 발견한다. 내가 경험 나누기를 좋아하고 개인의 어려움이 사회적 어려움이 되기 전에 함께 극복하면서 보람을 느낀다는 것을 알게 되었다.

책을 읽다 보면 언젠가 쓰고 싶어진다. 읽은 것을 정리하고 싶고 내 경험을 비추어 새로운 것을 메모하고 싶고 작가의 말에 토를 달고 싶기도 하다. 글을 쓰다 보면 진정한 나를 발견하게 된다. 그래서 글쓰기는 나를 발견하는 과정이라고 말할 수 있다.

내 속에 있는 것을 꺼내다 보면 내가 원하는 것을 알게 되고 앞으로 해야 하는 일이 수면 위로 떠 오른다. 진정한 나를 발견하는 시간이다. 나는 엄마들이 모두 글을 썼으면 좋겠다. 엄마가 글을 쓰면 진정한 나를 발견하게 되고 나를 알면 아이를 바른 시선으로 바라볼 수 있게 된다. 아이를 바른 시선으로 바라보게 되면 미쳐 날뛰는 아이도 안아서 달랠 수 있다.

내가 나로 살기를 결심하게 된 것은 책을 읽기 시작하면서부터이고 글을 쓰기 시작하면서 조금 더 구체적으로 실천하게 되었다. 다른 사람들이 원하는 것이 무엇인지 생각하느라 나를 돌아보지 못했던 삶에서 진정한 나를 찾고 오로지 나로 사는 기쁨으로 하루를 채우는 삶으로 건너오게 된 것이다. 변화는 완전히 새로운 삶을 살게 했다. 생각, 말씨, 행동, 습관 무엇 하나 달라지지 않은 것이 없다.

매일 아침 명상하고 뇌에 산소를 보내는 호흡법과 2분간 호흡 멈추기로 에너지와 활력을 채우고 면역력을 높이며 혈관 건강까지 챙긴다. 거울을 보며 1분간 신나게 춤을 추고 거울 속 나를 보며 사랑한다는 말도 잊지 않는다.

만물에 감사를 보내고 아침에 일기를 쓴다. 오늘도 나를 사랑하는 하루를 보내겠노라고 다짐하는 글쓰기다. 내가 온전한 나로 살아갈 수 있는 이유다.

박상미

사회복지학 전공
상담대학원 미술 치료학과 재학 중

50이 되어 시작한 세상은 아팠다.

"난 내가 여전히 애틋하고 잘되길 바래요, 여전히."

-드라마 '또 오해영' 中-

50이 넘어도 괜찮은 건 없다

아이를 대학에 보내고 군대 보내고 나니 무료했다. 우울감이 되어 쌀을 씻어도 눈물이 나고, 청소기를 돌려도 눈물이 나고 바보가 된 것 같았다. 뭔가 하고 싶은 일이 있는 거 같긴 한데 명확히 몰라서 시에서 하는 프로그램에 참여하는 것부터 시작해 첫 근무는 2019년 공기관 내근직으로 시작했다.

낯선 환경과 주어지는 버거운 상황에 담당 상사의 관심이 보태졌다. 부담이 되기도 해 이른 퇴사를 선택했다, 후에도 일은 있었다. 모든 상처를 고스란히 안고 누구에게도 말한 적 없이 살았다. 아니 살아냈다. 변해가는 모습에 "엄마 없는 우리는 아무것도 아니야. 우린 언제든 엄마 편이야!" 아이의 말이 귀에 맴돌아서 살았다. 살아야 하는 단 하나의 이유였다.

삶은 만신창이가 되었고 내가 아닌 나를 보았다. 마음이 마음대로 되지 않았다. '모든 일에는 내 탓이 있다'하고 살았던 숱한 날들이 무색하게 한번 도 생각할 수 없는 걸 할 수 있을 거처럼 독기로 가득 찬 모습도 보였다. 속 깊은 곳에서 치미는 게 있어 그것이 올라오면 통제할 수 없어 수렁에 빠졌고 삶은 바닥을 쳤다. 더 내려갈 곳이 없다는 상태에 머물러 있었다.

지금도 치미는 순간이 오면, 스스로 할 수 있는 게 없다는 불안을 느끼면, 가슴에 통증으로 머리를 쥐어뜯으며 정신을 차리려고 애를 쓴다. 약을 급하게 넣어 삼키고 잠을 청한다. 그래야 엄마로 살 수 있으니까. 나로도 살 수 있으니까. 아이들에게 짐이 될까 하는 두려움과 공포가 밀려오면 구역질로 토해낸다. 오물을 삼키고 입안에 더러운 것이 있는 기분이 든다.

5년 동안 겪은 일을 돌아보며 해내야 할 것을 다짐하고 후회도 하며, 이 세상 존재하는 신께서 가야 할 길을 보여주기 위해 30년 겪을 걸 늦게 시작했다는 이유로 몰아 겪게 하시나 보다. 다른 이들의 삶에 제대로 도움이 되라고 이 힘듦을 주셔서 나아갈 길을 깨닫게 하시나 보다. 친구가 "너를 쓰실 곳이 있나 보다." 하던 말을 생각하며 정신을 꽉 잡고 산다.

늘 바란다. 혼자만 안고 살아야 하는 상처가 많아 아프지만, 척하는 게 아닌 진짜로 살 수 있기를. 원래의 밝고 긍정적인 삶으로 살 수 있기를. 아이들의 걱정이 되지 않기를. '내가 이만큼 아프고 힘들면 내 새끼는 이만큼 덜 아프고 덜 힘들길' 바라는 마음으로 빌며 산다.

또 살아도 선택은 이거다

아이들이 원하는 엄마로 함께 살아온 삶. 다시 선택한다 해도 같은 선택을 할 것이다. 지금껏 삶 중에 가장 행복했고 후회 없다. 엄마로 사는 긴 시간은 험난하고 고되었다. 둘째 아이가 태어난(1997년) 이후 전공을 살려서 뭔가를 하겠다는 남편은 또 유통업을 시작했지만, 사업은 IMF를 이겨내지 못하고 남은 건 빚이었다.

다른 건 생각할 여력이 없었고 아이들과 살아야 할 생각만 했고 과수원을 하고 계시는 친정 부모님에게 전화해 "거기에서 장사하면 안될까? 아빠 엄마가 좀 도와줘" 흔쾌히 "내려와라." 하셔서 아이를 돌보며 할 수 있고, 건강이 안 좋은 큰아이에게 환경 면에서 더 좋을 거고, 엄마의 음식 솜씨가 탁월하다는 것에, 나는 생각도 고민도 없이 친정집 옆에 작은 집을 지었다.

두 아이를 데리고 먼저 내려와 과수원에서 닭을 키워 닭볶음탕, 녹두 백숙을 메뉴로 정해 장사를 시작했다. 장사는 입소문을 타면서 집 마당까지 자리를 채울 정도로 잘됐다. 얼마 후 남편은 빈털터리로 내려왔고 나는 전문 자격증 공부를 시작하도록 뒷바라지하였다. 남편은 1년 만에 합격했고 사무실을 차려 자기 밥벌이를 시작했다.

그리고 국민체육진흥공단에서 운영하는 분당에 있는 스케이트장 내 매점이 나와 얻어 주말엔 매점을 운영했다. 당시엔 토요일 수업이 있었고 (지금 방과 후 활동 같은 것이다) 그때는 학생들이 많아서 오전에 학생들이 몰리면 정신이 없어 미리 준비해 두어야 별일 없이 운영할 수 있어서 새벽 5시에 일어나 분당으로 향했다.

아이들은 새벽 5시에 깨워도 한 번의 칭얼거림 없이 일어나 옷을 입었다. 겨우 7살, 5살이었지만 의젓해 마음이 아파 눈물이 나곤 했다. 매점에 도착해 한쪽에 마련해 놓은 공간에, 전기장판에 불을 넣어주면 장사 준비하는 동안 아이들은 잘 잤다. 두 녀석은 곁에서 둘만의 놀이하며 벗어나지 않고 있어 주었다. 가끔은 봐주면 스케이트를 타기도 했다.

그렇게 주중과 주말 시간을 보내며 조금 힘이 들었지만, '이 정도면 괜찮으니 이게 행복이다.' 생각하며 살았다. 그렇게 사는 동안 몸이 병들어 가고 있는 줄 몰랐다. 몇 번의 수술을 반복하고 회복하는 과정을 거치며 몸을 살리고 지키려는 데 노력했다.

엄마가 필요한 아이들만 생각하고 아이들과 보내는 일상을 즐기며 살았다 '있어 주어야 한다. 지켜주어야 한다.' 그 생각만 가지고 살았다.

나의 엄마는 바쁘다는 이유와 일이 있다는 이유로 대화라는 걸 해 본 기억이 별로 없다. '나는 안 그래야지.'하고 그 시절에 마음먹었다. 아이들에게 물었다.

"집에 있는 엄마가 좋아? 일하는 엄마가 좋아?"

내 새끼니 반은 닮았을 거란 생각이 있었기에 물었고 아이들은 생각한 대로 분명하게 말했다.

"엄마가 집에 있으면 좋겠어."
 다른 건 생각하지 않았다. 주저함도 없었다.

아이들이 원하는 엄마로 나만의 방식대로 마음을 표현하고 위하며 귀하게 여기고 엄격하게 가르치며 아이들과 관련된 모든 건 아이에게 먼저 물었고 학원 다녀보고 "엄마 여기는 아닌 것 같아"하면 이유를 묻고 타당한 이유가 있으면 보내지 않았다.

두 아이는 다른 듯 닮았다. 다른 면을 느낀 건 중학생 때였다. 어떤 잘못으로 인하여 종아리를 맞으면(그때 규칙은 종아리 10대였다) 큰아이는 그 자리에서 그대로 다 맞았다. 하지만 작은 아이는 매를 들면 양 손목을 잡고 "어머니 잠시만요 제 얘기 좀 들어

보시고요. 어머니 잠시만요." 웃겨서 맥이 빠지면 그사이 냅다 도망을 가서 덜 맞았다.

특별하게 닮은 건 결정할 게 있으면 "엄마 나 걸어갈게" 하는 거다. 고등학생이 되면서부터 그랬다. 생각할 게 있고 결정할 게 있어 고민한다는 뜻으로 받아들였다.

아이들이 고등학생이 되면서부턴 말하는 것에 마음을 썼다. 큰아이의 같은 반 친구 엄마가 "자기 아이 학원을 보내려 하는데 00도 같이 다녔으면 좋겠다." 하며 물어봐 달라고 하셔서 물어봤다가 "학원 다니기 싫다고 했는데 왜 같이 다녀야 하는 거냐며" 벼락을 치는 바람에 학원에 ㅎ자도 꺼내지 않았다.

스스로 결정하고 말하면 들어주고 부정적인 마음을 말하는 데는 조심했다. 경험한 후 결정이 잘못됐음을 인정하면 "엄마도 그랬어" 라고 말했다. 매번은 아니지만, 아이의 결정을 존중했다. 가끔 화가 나면 안경이 날아갈 정도로 뒤통수를 때리기도 했지만 놀랍게도 반감 없이 아이는 바뀌었다.

새끼 차려주는 밥을 먹고 아이들은 잘 자랐다. 사람을 위할 줄 알며 엄마가 울면 나이 30살, 28살이 되어도 같이 아파할 줄 알며 바로 보지 못하는 상황을 직면시켜 주기도 했다. 엄마가 조금 더 편한 마음으로 살아가길 바라며 조언하는 따뜻하고 든든한 존재로 자라주었다.

큰아이는 "그렇게 살면 엄마가 힘드니까 그렇지!" 하며 삶의 방식을 바꾸는 걸 권유하기도 했지만, "아들 25년 산 너도 바꾸기가 쉽지 않은데, 50년을 넘게 살아온 엄마는 더 바꾸기 어렵지!" 한참 후 "엄마 마음 가는 대로 살아 괜찮아!"라고 웃어주는 아이로, 작은아이는"엄마는 낭만이 너무 많아 이 사회에 안 맞아"라고 냉정하게 직언하는 아이로 자라 힘을 주었다.

자신이 하고 싶은 건 축구인데 축구부가 있는 학교가 없어 공부했다는 큰아들, 공부로는 형을 이길 자신이 없어 좋아하는 음악 한다고 갑자기 선언하고 그걸로 밑거름 삼아 제법 살아가고 있는 작은아들. 가끔 너무 힘들면 신께서 '이 대단하고 위대한 큰 복을 주셔서 이렇게 힘들게 하시나!' 때때론 생각하며 견딘다.

젊어 고생은 사서도 한다는데 해봐야 아는 거니까. 실패해도 젊어서는 다시 시작할 수 있는 자생력이 있으니 도움이 필요하다고 말하면 그때 도와주면 되니까. 그렇게 봐주고 위해주고 기다려주니 나아지고 좋아졌다.

어려운 시험을 앞두고 아르바이트하는 큰아이를 생각하며 물어보지도 못하고 미안해 울었고 긴 터널 속에 갇혀 숨도 못 쉬는 거 같은 작은 아이를 보며 숨죽이고 운 적도 많았다. 지금은 밥 먹는 시간이 아까울 정도로 공부하기 바쁘다는 큰아이, 긴 터널 속에서 빠져나와 제 몫을 하며 더 나아갈 길을 찾는 작은 아이. '축복이요 감사한 일이다.'

오롯이 내 편이 있었고 있으니, 살아갈 힘을 가진다

50이 되어 시작한 세상에 치어 집에 콕 박혀 어찌 살까를 고민하는 어느 날 "엄마 공부해, 하고 싶어 했잖아!" 아이는 방향을 제시해 주었고 십년지기 친구는 학교를 알아봐 주고 낯선 길에 겁이 많은 나를 데리고 같이 다니며 원서도 넣어주고 열심히 도와주었다. 그렇게 시작했다. 열등감을 죽이는 도전이었다.

늦게 시작한 공부는 재미있었고, 많은 경험할 기회를 주었다. 공부하면서 아빠가 생각나 많이 울었다. 가르치지 못한 것에 미안함을 돌아가시기 전날 또 말씀하셨다. "아니야, 우리랑 함께 살아줘서 고마워! 우리 아빠 안쓰러워서 어째!" 하니 "고맙다. 그렇게 말해줘서" "엄마 너무 미워하지 마라" 벽에 기대어 앉아 계시는 아빠 다리를 잡고 펑펑 울었던 기억에 많이 울었다.

아버지는 엄마가 잠깐 자리를 비운 사이에 그 말씀을 마지막으로 하시고 아픈 손가락 손녀와 매일 비슷한 일상을 보내고 돌아가시기 이틀 전 군대에서 휴가 나온 큰손주 얼굴 보고, 전날 작은 손주 얼굴 보며 좋은 소식 듣고 "다행이다!"를 말씀하시며 처음으로 아버지와 하루를 보내는 나와 많은 이야기를 나누며 표현하시고 밤에 오는 고통을 고스란히 받으며 참으셨다.

아버지는 이른 아침에 아버지를 보러 온 두 아들을 보시고, 밤새 눕지도 못한 채 내 한 손을 잡고 내 한 손으론 머리를 콩콩 두들겨 달라며 고통에 시간을 보내고 이른 아침"야야 아빠가 이상하다" 하는 엄마 소리에 아빠를 얼른 안으며 "아빠 안돼"했지만 그대로 숨을 놓으셨다. 아빠의 마지막 모습을 보았고 내 품에 품을 수 있었다. 마음에 미안함만 가득한 아버지다.

아버지는 아셨던 거 같다. 그곳이 당신의 마지막 자리인걸. 다시 입원하는 날 우셨다. 아버지를 안아주며"아빠 나아서 다시 집에 가면 되지, 왜 울어?" 말해도 서럽게 우셨다. 처음이었다. 함께 울었다. 아버지는 "10년만 더 살았으면 좋겠다, 00 출세하는 거 보고 가게" 말씀하셨지만, 이루어지지 않았다. 그동안도 기적이었다.

아버지는 돌아가시기 전에 먹지 못하셨는데 우리가 군것질거리를 먹으니 달라고 하셔서 잘 드셨다. 간식을 드시고, 1년도 못 사신다고 말했지만, 4년을 사시며 기적 같은 시간을 함께 보내고 4년 동안 우리 힘들게 한 적 없으셨고 돌아가실 때 배내똥을 싼다고 하는데 그런 거 없이 깨끗한 모습으로 먼 길을 떠나셨다. 아버지 삶을 생각하면 마음이 너무 아프다.

아버지는 멋을 낼 줄 알며 “사람은 지나가는 거지도 무시하지 마라” 하시며 정 많고 따뜻하셨다. 엄하셨지만 자식을 위할 줄 알고 믿어줄 줄도 아셨다. 어설픈 창고 정도는 혼자서도 만들 수 있는 재주를 가져 목수도 하며 엄마 말로는 ‘치 깐 목수(화장실의 방언으로 알고 있음)라고 했다. 자식에겐 좋은 아버지였는데 엄마에겐 왜 그리 모질었을까? 아버지도 힘드셨을 거다.

어린 시절 아빠를 기다리고 있으면 아이스크림을 사주며 “얼른 먹어라.” 하며, 입 주변을 닦아주시고 “안 먹은 척해라.” 하셨다. 아빠가 가난했던 시절 오롯이 행복한 나만의 아빠가 있다. ‘효녀는 아닐지라도 미안한 자식은 되지 말자’ 하는 마음으로 시작했기에 학교 다니며 많이 울었다. ‘우리 딸 대학 갔다고’ 좋아하고 “잘했다”라고 말씀해 주셨을 텐데. 또 이겨내려고 애를 쓴다.

엄마가 야단치면 “뭐라 마라 저것이 너희 집 살릴 거다. 저것이 잘할 거다, 저것이 잘 살 거다.” 하시며 언제나 내 편이 되어 주시던 할머니에겐 딸이 없었다. 할머니에게 첫 손녀딸이라 그랬는지 예쁨만 받았다. 할머니가 몰래 숨겨 와 주시던 곶감을 먹고 할머니 젖을 만지며 잠들곤 했던 기억이 있다. 할아버지 할머니 상에 있는 맛있는 거 많이 먹고 오롯이 사랑받았다.

90이 넘으셔서도 매일 일하던 습관대로 풀만 보이면 풀을 뽑다 똥 싸서 목욕시키면 “내 새끼” 하시던 할머니. 머리를 귀 뒤로 가지런히 꽂아주며 “할머니 너무 예쁘다.” 하면 웃으셨던 내 편. 할머니 말대로 한 것이 하나도 없는 거 같다. 몇 년 전 꿈에 예쁜

길을 걸어가는데 맞은 편에서 고운 모습으로 함께 걸어 주셨다. '괜찮다.' 바라봐주시며. 그래서 살아지는가 보다.

어릴 때부터 졸졸 따라다니던 막둥이 동생이 여자 친구라고 데리고 온 올케. 닮아선가 단번에 마음에 들었다. 좋은 마음이 있어 자주 만나고 이야기하니 이해하는 사이가 되었다. 내 올케의 딸 00이는 매일 하는 연락을 요즘엔 더 자주 한다. 목소리에 이상을 느끼면 모두에게 알리는 생존 지킴이다. "00이 하고 언니는 전생에 분명 뭔가 특별한 인연이었을 거"라고 말한다.

다른 이유는 없다. 태어나는 순간부터 우리 아이였고 예뻤고 유난히 "고모"를 부르며 따르고 좋아해 주었다. 우리 아이가 조금 특별한 아이인 걸 안건 나였다. 더뎌도 너무 더뎌서 올케에게 말해 진료받아 보니 우리 아이가 특별한 아이라고 한다. 처음엔 믿지 않았다. 올케는 더 받아들이기 힘들어했다. 먼저 아이를 품었다.

아버지는 "우리 집안에" 하시며 안타까운 마음을 표현하셨다. 하지만 엄마가 사놓은 가시 선인장을 만져 아이 손에 가시가 박히자 "이런 선인장이 뭐라고!" 화를 내시며 던져 버리셨다. 아버지는 걱정되는 마음이 있었는지 먼 길 가기 전에 "00이는 네가 챙겨라." 말씀하셨기에 얼마나 마음이 쓰이셨으면. 오롯이 사랑받은 기억이 있어 오롯이 아버지 말씀을 따르는 중이다.

특별한 아이와 살아가기 위해 대학원 진학도 마음먹을 수 있었다. 특별함을 가진 아이를 위해 올케에게 대학에 다니라고 권유했고 지금은 "언니 덕분에 1년 동안 어렵지만 재미있었고 뿌듯함을 느꼈다."라고 말한다. "00야 언니에겐 목적이 있다. 나랑 같이 나눠지자" 하니 "그래야지요, 암요" 하는데 대답 속에 편안함이 느껴졌다. 특별한 우리 아이가 올해 대학에 들어갔다.

아이는 조금씩 성장한다. 대학에 들어가더니 어려운 단어도 사용할 줄 알며 어른스러운 문장을 자기 의사 표현에 쓰기도 하면서 점점 자라는 게 보인다. 수업이 일찍 끝나는 날엔 집에 데려다주며 올케와 시간이 맞지 않는 날엔 점심 먹고 강의실까지 데려다준다. 시험 범위가 나오니 사진과 함께 '고모님 이것을 참고하세요^^' 보내왔다. 혼자 웃었다.

며칠은 자퇴서를 가지고 다닌다고 해 걱정했다. 올케가 "고모에게 말했냐고" 물으니 "고모한테는 말하지 말라" 했다 해 웃었다. 내용을 물었더니 "교수님들은 마음에 드는데, 오랜 시간 앉아서 있는 것이 힘들고" 등을 썼다고 해 배꼽 빠지게 웃었다. 데려다주는 길에 다녀야 하는 이유를 말하며 "고모랑 같이 일하고 행복하게 오래오래 살자" 하니 웃으며 고개를 끄덕인다.

아이는 어느새 커서 감정을 고스란히 느낀다. 특별히 더뎌서 공감 능력이 떨어지는 편인데 얼마 전 운전 중에 서럽게 운 적이 있었다. "고모 왜 울어?" "나쁜 사람들이 괴롭혀서" 말하니 말이 없다. 카카오톡이 왔다. '고모 조금만 참으세요, 고모 괴롭히는 나쁜 사람들 내가 혼내 줄게요.' 아이 마음 쓰이게 한 거 같아 미안한 마음이 들었다.

아버지는 먼 길 가시며 동생이 어느 정도 기반을 잡을 수 있도록 만들어 주시며 말씀하셨단다. 가족을 챙기라고. 아버지 판단이 맞았다. 동생은 사업을 넓혀갔다. 잘해주고 있다. 앞으로도 잘하며 가족을 위해 살아갈 것이다. 엄마를 챙기고 늘 조카들을 염두에 두고 힘들어하는 내게 "누나야 지금처럼만 살아줘 동생이 부탁할게" 라고 울며 말하기에 노력하며 산다.

아이들과는 많이 이야기한다. 떨어져 있어도 통화하며 경제적인 부분, 공부하는 부분, 인간관계에 관한 부분, 약은 먹었는지, 밥은 먹었는지 소소하게 이야기한다. 경제적인 부분은 부족하진 않지만, 넉넉하지도 않아 신경이 쓰인다. 다행히 아들은 장학금을 받아 부담을 줄여주었다. 나도 대학원 공부를 하니 의논하고 조율하며 살아간다. 서로를 의지하며 편이 되어 산다.

가끔 모든 것에 미안한 마음을 담아 '미안하다.' 말하곤 한다. "아들 미안해 도움이 못 돼서" 말하니 쳐다보며 "미안한 거 없습니다. 나는 만족합니다. 내가 공부할 수 있을 정도는 되잖아." 큰아이는 웃는다. "우린 괜찮아 엄마만 생각해" 하며 손을 꼭 잡아준다. 아이들은 어디를 가도 나만 본다. 챙기기 위함이다. "엄마 오래오래 살아. 다 누리고 살다 가야지" 진심이다.

아이들은 다른 거 생각하지 말고 공부만 하라고 한다. 작은아이가 어느 정도 안정이 되어 큰아이 공부 마칠 때까지만 신경 쓰면 될 거 같다. 큰아이는 매일 전화한다. '약은 먹었는지, 몸은 괜찮은지' 그리고 "2년만 참으라고 나아진다고 그때부터는 내가 한다고."

작은 아이는 "엄마 사람한테 치여 안 된다며, 00이 챙기며 공부만 해!"라고 말한다.

이러니 살아야지!. 힘든 순간이 와도 이기고 견뎌야 하는 이유다. 살고 싶다.

나름 살아보려고 애쓰고 있다. 수월한 순간은 별로 없다. 순간순간 아프다. 괜찮은 척 산다. 매일 전화하는 큰아이, 시간이 나는 대로 전화하는 작은아이, 날마다 생존 확인을 하는 00이가 또 놀랄까 봐서다. 얼마 전에도 집안을 발칵 뒤집어 놓았다. 내가 행복해하면 아이들도, 울 공주 00이도, 동생들도, 엄마도 웃는다는 걸 알기 때문에 살아야 한다.

지금 시작한 대학원 공부가 힘이 되길 바란다. 배우면서 치유되길 바란다. 지금, 이 가면을 다 벗고 살고 싶다.

백미애

영어영문학과, 평생 교육대학원 재학
방과후교실, 문화센터, 도서관 역사강의, 세계문화지도사,
실버인문학 강의, 화성시 국가 지질공원 해설사

삶은 선택의 연속

"생각이 변하면 행동이 바뀌고, 행동이 변하면 습관이 바뀌고,
습관이 변하면 운명이 바뀐다."
-심리학자 윌리엄 제임스-

초등학교 입학식 날

입학식 날, 아버지 자전거 뒤에 앉은 나는 신났다. '아버지'라는 단어가 세상에서 제일 좋았다. 엄하시지만 따뜻하고, 자상하시고, 가끔 유머도 던지시던 아버지, 우리 가족은 경쟁하듯 사랑하고 존경했다. 그런 아버지가 자전거를 태워 데려간 학교도 좋았다.

초등학교는 고개를 넘고 개울을 건너 긴 둑을 따라 한 시간을 걸어야 했다. 양지바른 곳에 소박하게 자리 잡은 건물과 큰 운동장이 있었다. 겨울에는 난로에 넣을 솔방울을 주우러 인근 산자락으로 흩어졌고 가을엔 잔디 씨를 훑었다. 우리 마을보다 더 깊숙한 곳에 자리 잡은 학교였다.

동네 아이들은 깃발 아래 모여서 함께 등교했고, 돌아올 때는 삼

삼오오 술래잡기하거나 역할 놀이하며 멀리 있는 길을, 지루하지 않게 걸었다. 가끔은 들판에 있는 무를 뽑아 먹고 뽕밭에서 오디를 따먹다 들켜 혼도 났다. 공부 걱정 없는 즐거운 나날들이었다.

5학년 1학기를 마치고 읍에 있는 학교로 전학하였다. 부모님은 주소지를 옮겨 나와 남동생들을 읍내 학교에 보내셨다. 한 손에 쓰레기통을 들고 교무실 문을 여시던 엄마 모습이 아직도 눈에 선하다. 새 학교의 선생님은 나의 성적표를 특히 좋아하셨다. 교무실 선생님들, 반 친구들에게도 공부 잘하는 친구라고 소개하셨는데, 얼마 가지 않아 탄로 날 실력이었다.

전학 오기 전 학교에서는 놀기만 해도 좋은 성적을 주셨다. 친구 대부분은 집안일을 도와 들로, 산으로 소를 몰고 가거나 풀을 베러 다녔다. 읍내보다 학급이나 학생 수가 적었고 상대적으로 여건이 좋은 나는 성적 받기가 수월했다.

하지만 읍내는 달랐다. 학교 자체가 공부 분위기여서 시험 때마다 성적을 공개했다. 많은 친구가 더 좋은 등수를 받기 위해 과외 수업을 받고 있었다. 여태껏 받은 성적은 어림도 없을 것이 분명해 불안했었다. 걱정스러운 중에 중간고사 시험 기간이 다가왔고 결과는 굳이 받아보지 않아도 짐작할 수 있었다.

선생님도 친구들의 시선도 달라졌다. 시골 학교는 별것 아니라는 생각이 들게 한 실망스러운 전학생이었다.

이사가 아니고 전학만 간 거라 동네 친구들과 여전히 잘 지내고 싶었다. 친구들은 더 좋은 학교를 찾아 읍으로 전학 간 내가 좋을 리 없었을 것이다. 착한 아이들이라 딱히 따돌리지는 않았다. 다만 등하굣길이 다르고, 4시만 되면 소 꼴 먹이러 산으로 가버리니 어울릴 수가 없었다, 없는 소가 원망스러웠다.

좋아하던 아이는 다른 친구와 단짝이 되었고 소외감에 슬펐던 기억이 아직도 있다. 전학 간 읍내 친구들은 편이 둘로 나누어져 있었다. 시차를 두고 양쪽에서 번갈아 찾아와 어느 편에 설 것인지 물었다. 왜 그래야 하는지 물었더니 이유도 웃긴다. 원래 그렇단다.

'읍내라 다른가? 생각도 못 한 선택을 하라니…. 누가 누군지도 모르는데…. 더군다나 이전 학교에서는 내가 대장이었는데….' 생각 끝에 어느 편에도 서고 싶지 않다고 잘라 말했고, 다행히 받아들여졌다.

성적과 친구로 힘들고 마음 고단했던 5학년 2학기는 그럭저럭 지나갔다. 6학년이 되었다. 앞에 앉은 미옥이 아버지는 손수레로 마을마다 돌아다니시며 고물을 수집하셨다. 3남매 중 첫째인 미옥이는 책임감이 강했다. 동생들을 챙기고 가끔 아버지를 도와 손수레도 밀었다.

은숙이는 방과후 귀가 방향이 같아서 어쩌다 친해졌다. 얌전한 아이로 수줍음을 많이 탔다. 미옥이와 은숙이는 열심히 공부했는데 6학년인데도 남아서 자율학습을 했다. 친구 따라 강남을 간다고 했던가….

친구들과 어울릴 방법은 '같이 공부하기'였다. 6학년 처음 치른 시험에서 좋은 성적을 받았다. 전학 가서 잃어버렸던 자신감도 어느 정도 회복할 수 있었다. 5학년 담임선생님을 찾아가고 싶을 정도로 기분이 좋았던 기억이 선하다.

잊고 있었던 그 친구들을 새삼 떠올려 본다. 미옥이와 은숙이. 졸업 후 도시로 진학했고 친구들은 고향에 남았다. 처음 맞닥뜨린 고갯길을 함께 넘어준, 친구들의 근황이 궁금하다. 분명 열심히 살아가고 있을 것이다.

고향 친구,
시련과 인생 직업을 안겨준 인연

부산에서 대학에 다녔는데 여름방학이 되자 한 친구가 연락을 해왔다. 우리는 초, 중, 고등학교를 함께 다녔는데, 중학교 3년, 고등학교 1년 같은 반을 했다. 친구는 공부를 잘해 좋은 대학 좋은 과로 진학을 했다.

방학이면 고향에 내려온 친구와 한 번씩 만나곤 했다. 친구는 방학 중 아르바이트를 하고 싶은데 혹시 가까운 우리 집에서 지낼 수 있겠느냐고 물었다. 지금 생각하면 철이 없었다. 당시 살던 집은 결혼한 언니 형부 집이었고 나도 신세를 지는 중이었다. 부모 자식같이 동생을 챙겼더니 자기 집인 듯 착각한 것이다.

언니는 차마 거절 못 하고 그러라고 했고 두 달을 채우고 개학을 앞둔 시점에 친구는 돌아갔다. 좁은 집에서 4인 가족과 나,

친구가 여름을 지냈다. 당시엔 몰랐는데 결혼하고 살림 살아보니 두고두고 미안한 일이었다.

남편이 수원으로 발령을 났다. 7살, 4살 두 딸을 데리고 우리는 이사했다. 그 친구가 소식을 듣고 남편과 함께 찾아왔다. 친구 남편은 말주변이 좋고 본인의 주관이 뚜렷한 사람이었다. 다니던 직장을 휴직하고 친구의 지원으로 학원을 차렸고 오픈하기에 앞서 직원을 구하고 있었다. 두 사람은 겸사겸사 우리 집을 방문했다.

초등반 중, 고 등반, 어학원까지 있는 큰 학원이었다. 친구 남편은 상담실장 자리를 제안했다. 우리 아이들이 어려 거절했다. 아이들을 돌보면서 근무할 수 있고 어학원 관리만 하는 조건을 제시했고 수락했다. 이사한 지 얼마 되지도 않았는데 다시 집을 구해 학원 가까이 갔다.

친구 남편은 수완이 좋았다. 전문 업체를 불러서 홍보를 맡겼다. 시설이 좋고 지역에서 보기 드문 대형 학원이라 개원은 성공적이었다. 밀려드는 아이들로 밤 10시 넘어서야 집으로 갈 수 있었다. 어학원 관리만 하기로 했었지만, 현실은 그렇지 못했다.

초중고 어학원을 모두 관리하는 상담실장으로 동분서주하게 되었다. 개원 초라 당연했고 곧 안정되리라 생각했다. 우리 아이들은 방치되었다. 애들 아빠는 퇴근이 늦었다. 친구는 학원 건물 꼭대기 층에 살았다. 다행히 우리 애들과 친구 아이들은 나이가 같고 잘 어울렸다. 아빠 퇴근 전에 친구 집에서 함께 놀게 해주어서 고마웠다.

우리 아이들은 수강생들보다 더 얼굴 맞대기가 어려웠다. 수강료와 교재비 수납은 물론 각종 상담에 강사 관리까지 도맡아 하다 보니 준비물도 못 챙기는 엄마였다. 얼마 뒤에는 친구 집에 올라가는 것도 불편해 아이들을 재촉해서 집으로 보냈다.

제일 불편한 것은 이사장의 조바심이었다. 개원 때 받은 대출 원금을 하루빨리 갚고 싶어 했다. 강사료를 낮추기 위해 선생님 수를 줄이거나 교체했다. 학원생이 정체되자 내보낸 강사 대신 주말 출근을 요구했다. 일요일 큰아이를 데리고 역사 탐방하러 갔다. 이사장이 전화를 걸어 소리쳤다.

나 때문에 친구가 남편과 불편하면 어쩌나 하는 그런 미련한 생각을 했었다. 나중에 안 사실이지만 정작 친구는 바빠서 학원 일에 신경 쓸 정신이 없었다. 며칠 고민 끝에 남편과 의논하고 그만두기로 했다. 마음 같아서는 당장 이사 나오고 싶었지만, 전세 만기 전이라 어려웠다. 우리를 찾아온 그 자리에서 거절하지 못한 나를 자책하며 며칠을 보냈다.

남편은 아이들에게 자상한 아빠였다. 피곤해도 시간이 나는 주말에는 가족들을 데리고 나가려 했다. 좋은 가장인 건 맞지만 집안일 도우면 큰일 나는 경상도 장남이었다. 마음과 달리 퇴근도 늘 아이들이 자는 한밤중이었다. 본인 사회생활이 힘드니 이번에도 기대하지 않았다.

남편이 흑기사가 되어 주었다. 때마침 인사발령이 나서 본사로 가게 된 것이었다. 구출된 느낌이 이런 것인지…. 비참하지 않게 그 지역에서 벗어난 느낌이었다. 언제 생각해도 가장 고마운 순간이다.

벼룩시장에서 새로운 시작이 보여

벼룩시장을 펼쳐 보았다. 신기하게도 눈에 들어오는 광고가 있었다. 역사 선생님 양성 광고였는데 호기심에 전화를 걸었다. 자녀 교과에 역사 과목이 있어 쉽고 재미있게 공부시킬 목적으로 내용을 만들어 보셨다고 한다. 아들 친구 몇 명을 데리고 수업했는데 반응이 좋아 광고를 내셨단다. 처음 낸 광고에 바로 찾아가고 가맹까지 한 거다.

그 간의 속상함이야, 말로 다 못하지만, 수업에 매료되어 극복해 갔다. 아침 열 시부터 오후 네 시까지 머리가 멍해지도록 마주 앉아 수업을 들었다. 그분은 신나서 열강했고 나는 신나서 공부했다. 역사를 공부하고 강의할 날이 올 줄은 몰랐다.

발령이 나면 바로 근무지로 출근해야 해서 머잖아 이사하게 되었다. 서울에서 수원과 분당을 오가는 열정으로 드디어 역사 선생님이 되었다. 지금까지 했던 다양한 일 중에서 역사를 가르치는 것이 제일 재미있다. 그때의 선택은 옳았다.

수업이 인기를 끌었고, 문화센터, 학교, 도서관, 홈 수업 등에서 강의했다. 나이 들면서 아이들이나 부모님이 젊은 선생님을 원하지 않을까 하는 생각이 들 때도 있었다. 역사라서 가능한 것일까? 60을 바라보는 지금까지 아주 즐겁게 이쁜 아이들과 만나고 있다.

아이들과 함께 누운 날, 큰아이가 말했다. “엄마는 열심히 일만 하고 우리를 방목했지. 어느 날 문득 내 미래가 걱정되고, 그래서 나라도 나를 위해서 열심히 살자고 생각했어.” 다른 엄마들처럼 시험 기간에 잠들지 못하게 감시하거나 학원 뺑뺑이 돌리지 않아 좋기도 했지만 섭섭하기도 했다고 한다. 귀가하는 아이들을 집에서 맞아 주고 간식도 챙겨 주는 그런 엄마가 부러웠다고 한다.

큰아이는 5학년 때 친구들로부터 왕따를 당했다. 고민 끝에 우리는 결국 전학했고, 새로운 곳에서 중학교 진학했다. 친구들은 사귀었으나 센 친구들은 우리 딸이 주관이 뚜렷하고 잘난 척을 한다는 이유로 좋아하지 않았다.

어느 날부터인가 유학을 보내 달라고 조르기 시작했고 중학교를 거쳐 고등학교에 가서도 그 뜻은 꺾이지 않았다. 결국에는 우리가 설득당했고 큰딸은 유학을 떠났다. 고2에 유학 가서 영어를 배우는 과정이 쉽지 않았다고 한다. 백인이 대부분인 학교였는데 함께 도시락을 먹자고 가면 피하기 일쑤여서 어느 날은 화장실에서 혼자 샌드위치를 먹은 날도 있다고 했다.

한국 친구와 어울리면 마음 약해져 영어 배우기가 늦어질까 봐 가까이하지 않다 보니 더 외로웠다고 한다. 정신이 나와는 비교가 안 되는 우리 딸은 좋은 대학을 졸업하고 좋은 회사에 취직했다가 지금은 미국에서 자기 사업을 시작했다.

작은딸은 아빠 직장 사정상 고2 때 중국으로 유학하러 가게 되었다. 바로 대학 입시를 준비해야 하는 상황에서 딸은 아주 힘들어했다. 도움을 받을 학원이나 과외 선생님 구하기가 어려운 게 제일 힘들었다. 하려는 의지는 강하나 상황이 어려움을 알고 학교에서 선생님 도움을 받을 수 있도록 배려해주었다.

중국어가 유창하지 못하다 보니 엄마 아빠는 딸에게 별 도움이 되지 못했다. 식사 준비하고 저녁에 함께 산책하는 것이 해줄 수 있는 전부였다. 지금은 대학 졸업 후 원하는 곳에 취업한 훌륭한 사회인이다. 잘 자란 두 딸은 엄마의 방치가 자신들의 진취적인 도전으로 이어졌다고 반은 놀리고 반은 칭찬한다.

나는 생각한다. 친구 남편의 학원에서 계속 근무했다면 우리의 과거와 지금이 어땠을까? 우리 아이들이 지금처럼 훌륭하게 잘 성장할 수 있었을까? 생각도 하기 싫은 기억이지만 우리 가족 성장의 출발점이지 않았나 싶다.

인생에 전환점이 몇 번 있었다. 그때마다 소중한 인연들이 나를 조금씩 나아가게 만들어 주었다. 인생의 고달픔을 알고 가족을 챙기면서 성장할 수 있어서 지금은 그때의 고민과 노력을 고맙게 생각한다.

여미선

현)해피멘토 협동조합 이사, 해피드림 작은 도서관 관장, 역사교실 지사장
전) 오산시 시티투어 안내자. 화성시 골든벨 문제 출제자
저서> 경기도 효행과 효 사상(공저)

건강하지 않으면 500세도 싫다

"장갑을 벗기 전까지는 포기하지 않아."
-박세리-

에도에서 발견한 나

계절 : 봄

시간 : 2004년 봄 대낮

장소 : 도쿄 박물관 뜰

일본 동경으로 이사 왔던 지난해(2003)부터 거의 매일 여기에서 사귄 사람들과 반복적인 모임을 가졌다. 그 모임은 등에 업힌 어린 아들과 나, 그리고 남편의 소개로 사귄 동네의 유학생 부인들이 모여 공동 육아와 정보를 공유하는 것이었다.

그들과 함께 동네 마트도 가고 재래시장도 다니면서 식품이나 야채 이름을 알아가는 것을 시작으로 생활 일본어를 접하게 되었고, 매주 현지 일본인들에게 일본어를 배우는 프로그램에 참여하여 조금씩 말을 배웠다. 하지만 이 정도 수준의 일본어 실력으로는 빠른 일본인들의 말이나 뉴스를 쉽게 이해 하기에는 무리였다.

그런데 어느 날 이었다. 아이가 열이 끓고 설사가 나서 급히 병원에 갔다. 일본인 의사가 하는 말을 도무지 알아들을 수가 없었다. 그때 내 마음이 얼마나 조급했는지 일본인 의사의 말을 거의 달달 외워서 학교에서 공부하고 있는 남편에게 그대로 전달하여 통역을 받았다.

아이의 건강 문제에 신경을 곤두세우고 있었던 이유는 아이가 태어난 지 한 달 만에 의사에게 들은 이야기 때문이었다. 태어날 때부터 장기에 이상이 있다는 것을 알고 있었기에 조금만 아파도 그것 때문이 아닌지 걱정이 많았다.

그 문제가 아이에게만 있는 것이 아니라는 것은 세월이 한참 흐른 후에야 알게 되었다. 그것이 남편과 관련된 것을 알게 되면서 나는 좌절하였고, 눈물 바람인 긴 시간을 보내고 있었다. 동경에 있을 때는 나에게 오로지 남편과 어린 아들이 전부처럼 느껴지는 시간이었고, 하루 종일 아이와 눈 마주치고, 놀면서 시간을 보냈다.

남편은 학업에 전념하느라 자정이 넘어서야 집으로 돌아와서는 바로 잠들어 버리고 다음 날 아침이 되면 새벽 기차를 타고 학교로 가는 학생이었기에 우리와 함께 보내는 시간은 짧았다. 그는 주말쯤 되면 피곤에 지쳤고, 휴식이 우선이라 외출하기를 싫어하였다. 주말만 기다리는 나의 생활 패턴과 활동적인 나와는 잘 안 맞았다.

기타아야세 공원에서 우연히 만난 한국인 두 가족 예리네 가족과, 혜인이네 가족과는 나와 남편의 생활을 많이 바꾸어 주었다. 자녀들이 어느 정도 자란 두 가족 이었는데, 이제 첫 돌이 되어가는 어린아이를 데리고 있는 우리와 친하게 지내며, 주말이면 틈 나는대로 미즈모토 공원으로 바비큐 파티를 가고, 자주 가족모임을 가졌다. 내가 여기저기 다녀보는 작은 여행을 꿈꾸게 해 준 분들도 바로 이 가족이었다.

아이를 키우는 일 외에는 무료한 시간을 보내는 것이 아깝기도 해서 일본에 온 김에 여기저기 다녀보고 싶은 마음이 생겼다. 남편이 유학을 마치고 한국으로 귀국해버리면 일본이 가깝기는 하지만 자주 오기 힘들 것이기 때문이다. 이때부터 나만의 여행이 시작되었다.

일본의 생활이 점차 익숙해질 무렵 아이랑 둘이 우에노 공원을 거쳐 도쿄 국립 박물관으로 자주 나들이를 갔다. 유모차에 아이를 태우고 지하철을 이용해 볕 좋은 오후에는 우에노 공원에서 놀다가 돌아오기도 좋았다.

또 도쿄 국립 박물관에 표를 끊고 한참 관람하다가 나오면 거의 해 질 녘이 되는 때가 많았다. 이렇게 시작된 나의 나들이는 도쿄를 벗어나 요코하마까지 가게 되었고, 요코하마에서 갈 수 있는 작은 박물관까지 샅샅이 돌아보았다. 이렇게 다니기 시작하니 점점 재미가 붙었고 비오는날 빼고 거의 작은 여행을 하였다.

그래도 가장 자주 방문할 수 있는 곳은 가깝기도 하고 시원한 에어컨이 나오는 도쿄 국립 박물관이었다. 여기 전시된 전시물을 구경하는 것도 흥미로웠고, 한국 유물이 전시된 곳에서는 반가워서 한참을 머무르기도 하였다.

우리나라 물건을 외국의 박물관에서 만나는 야릇한 기분 탓인지 한국의 유물과 그 가치에 대한 관심이 생겼다. 이렇게 보내었던 외국 생활은 지금 내가 하는 직업의 시작이 되었고 현재 나를 살리는 일이 되기도 하였다.

여기서 시작된 우리 것에 대한 호기심이 다시 한국으로 귀국한 후의 생활을 만들어가는 밑거름이 되어 주었다. 되돌아보니 동경에서의 생활에서 나를 다시 찾는 계기가 된 것 같다. 동경에서 보냈던 시간은 아이와 나에게만 집중할 수 있었던 좋은 기억이 많다.

한국에서, 원하지 않는 경험이 준 지혜

계절 : 더운 여름
시간 : 2022년 8월
장소 : 병실

일본에서의 학업을 모두 마치고 우리는 무사 귀국하였다. 핏덩이였던 큰아이도 이제 세 돌을 넘겼고, 잘 뛰어다니고 있었다. 둘째도 태어나서 우리 집은 늘 아이들 소리가 끊이지 않았다.

남편은 한국의 기업에 취직하였고, 일본에서 학교 다닐 때보다 얼굴 보기는 더 어려워졌다. 나의 하루도 일본에서의 생활보다 훨씬 더 바쁘게 돌아갔다. 큰아이를 데리고 가까운 문화센터에서 아이들 놀이 프로그램을 다니면서 우연히 데스크 위 홍보지에 쌓여 있는 한국사 관련 광고지를 발견하였다.

일본에 있을 때부터 생긴 우리 문화에 관한 관심이 나의 진로와 연결되는 순간이었다. 그 광고지에 나온 교육장으로 달려가 바로 수업을 수강하였다. 아이 둘을 키우면서 공부를 하는 것은 바쁜 일상을 더 빠르게 돌아가게 하였지만 내가 아이 키우는 엄마로서 해야 할 역할 외에 존재감이 느껴졌다.

이것을 계기로 역사 강사로서의 자리매김을 빠르게 해나갔다. 문화센터 강의를 시작으로 하여 도서관, 학교, 개인과의 등 일들은 계속 고리를 만들어가며 끊임없이 연결되었다. 그렇게 바쁜 생활을 하는 중에 아이들도 별일 없이 잘 자라 주어 고마웠다.

40대가 된 남편은 회사에서 받는 건강 검진으로 장기에 이상이 있다는 것을 알게 되었고, 곧 전문병원으로 진료를 다니게 되었다. 나이가 들면 신장 기능이 떨어지기 때문에 지금부터 식이요법을 하여 기능이 오래 유지되도록 하라는 의사의 지시에 바로 식이요법을 시작하였다.

큰아이의 장기의 이상 소견은 바로 아빠에게 그대로 유전이 되었다는 것을 알게 되었고, 남편 못지않게 아이가 걱정되어 평온했던 내 삶이 회색빛으로 변하는 것 같았다. 그래도 이런 진단을 받을 때만 해도 남편은 그럭저럭 별로 표나는 것 없이 무난하게 생활하고 있었다.

그렇게 10여 년을 식이요법과 병원의 약을 먹으면서 강도가 센 정신노동의 일을 회사에서 해내며 가장의 역할을 잘 해주었다. 나 역시 두 아이를 돌보면서 나의 직업이 된 역사 수업하느라 바빴다.

더불어 역사학과 대학원을 다니느라 매주 토요일이면 남편이 아이를 돌봐주면서 나의 학업을 유지하는 데 도움을 주었다. 서로 일을 하면서 우리는 유일한 '쉼'이었던 여름과 겨울의 휴가를 본가의 가족과 거의 모든 휴가를 보냈다.

나는 항상 우리 가족과의 휴식 시간이 없음을 아쉬워하였다. 남편은 그런 나와 자주 말다툼을 하였고, 휴가가 생기면 항상 하던 대로, 본가의 가족들과 함께하기를 원했다. 나도 그런 남편을 이기지 못하여 양보하고 남편의 가족들과 휴가를 몽땅 보내고 집으로 돌아와 다시 바쁘게 달렸다.

2021년 가을, 운동을 마치고 집으로 돌아오는 길에 남편에게 있었던 일이다. 갑자기 공원 바닥이 어지럽게 느껴진다는 것이었다. 그날 회사에 가서도 회의실에서 갑자기 등이 땀이 나고 호흡도 힘들다고 토로하였다. 평소에 신장 기능 이상으로 생기는 증상으로 다리가 저리고 아프다는 말을 자주 하였다.

밤에 잠을 자다가도 일어나서
"토할 것 같아", "다리가 저린다. 다리에 쥐가 난다. 빨리 주물러 봐."
하면서 괴로워하였다.

이제 회사 일도 능숙하게 잘되고 하는 일의 중요성도 올라갔고, 최대한이 역량을 발휘할 수 있었는데 건강에 이상이 생겼다. 3개월을 고민하고 생각하여 긴 휴가를 얻어 병원에 다니기 시작하였다.

의사의 말이 “이제 신장 기능은 10% 정도 남았고, 점차 떨어질 것입니다”

라고 하였다. 너무 무서웠고 남편이 불쌍한 마음이 들었지만, 이제껏 나와 아이들에게 제대로 된 휴가 한 번 함께 해주지 않은 남편이 더욱 미웠다.

이제 모든 것을 접고 치료에만 몰두해야 하는데 그럴수록 지나간 시간 동안 우리가 하지 못했던 ‘행복한 시간 만들기’에 대한 아쉬움은 더 커졌다.

뭐든지 할 수 있을 때 해야 하는 건데, 시간은 이미 지나가 버렸다. 그 와중에도 아이들은 잘 자라서 이제 고등학생이 되었고, 나도 시간강사로 자리 잡아가고 있었다.

나의 역량을 더 강화하기 위해 두 번째 대학원에 진학한 상태였는데 남편에게 큰일이 생겼다. 어렵게 대학원을 두 번 다니면서 가방끈은 더 길어지고 몸은 더 바빠졌다. 두 번째 대학원을 휴학할지 고민하다가 남편 병구완과 대학원 공부를 동시에 하기로 마음을 먹었다.

나를 위해 하는 것이 없으면 내가 의지할 곳이 더 없을 것 같은 불안감 때문이었다. 아침에 눈을 뜨면 우리는 병원에 검사받으러 가야 했다. 병원 주치의는 “신장 기능 저하로 인한 두통과 다리 저림 여러 가지 증상들이 신장을 이식받으면 다 없을 질 수 있다”고 하였다.

또 다른 병원의 의사는 두통과 어지럼증과 예민함 등은 신장과 관련이 없다는 소견도 보였다. 이 두 소견이 다르더라도 신장 기능이 확 내려간 것은 사실이었고 어떤 조치가 필요했다.

남편은 신장을 이식받고 새로운 삶을 시작하고 싶어 하였다. 그런데 신장이식 대기를 신청하려고 알아보니 평균 8년 이상을 기다려야 뇌사자의 장기를 얻을 수 있었다. 나는 너무나 절박했다. 이 무렵 친정아버지도 암 투병으로 같은 병원에서 항암을 하고 있었고, 나는 남편 병구완을 하면서 집안 살림과 대학원 공부와 고3이었던 큰아이 관리를 동시에 하고 있었다.

친정엄마도 아버지 암 투병 간호하느라 항상 병원에 있었다. 나 역시 남편 일로 병원을 자주 들락거려 나의 친정 가족은 병원에서 만나는 횟수가 많아졌다. 여러 가지 하느라 너무 힘든 시간이었지만 대학원 공부를 하는 것은 놓기가 싫었고 오히려 버팀목이 되어 주었다. 나를 위해 쓰는 유일한 시간은 대학원 공부하는 그때뿐이었다.

남편은 신장 공여자를 기다리고 있었다. 그런데 이상하게도 본가의 가족들은 누구도 신장이식에 관한 일은 모른 체 하였다. 남편도 좀 그런 눈치였는데, 본가의 가족보다는 내가 신장을 주기를 모든 가족이 바라고 있었고, 시누이와 시매부도 나에게 은근히 권유하였다.

참 슬펐다. 같은 병원에서 친정아버지는 암으로 투병 중이었고, 내 아들도 아버지에게 받은 유전으로 언젠가는 나빠질 것 같았고, 내 몸으로 아들을 살리는 데 쓰고 싶었다. 좀 젊은 날 '모든 휴가의 시간'를 함께 보내며 즐거워했던 본가의 가족들이 한 명씩 스쳐 지나갔다.

좋을 때는 가족으로 존재하지만, 생명이 오가는 위급한 상황에서는 누구도 우리 가족을 돌아봐 주지 않았다. 그렇게 본가의 식구들에게 서운했다. 젊은 시간은 다 지나가 버리고 아픈 몸이 되고 보니 남편도 가족의 범위를 다시 생각하고 있었다.

장기를 누군가에게 준다는 것은 무서운 일이었고 도망가고 싶게 만들었다. 장기이식은 이런 복잡한 감정들을 이겨 내고, 제 몸을 나쁘게 만들어가면서 다른 사람을 살리는 고귀한 일이다. 그런데 누구도 여기 나서는 가족은 없었다. 시간은 더 빨리 흘러가고 점점 목을 죄어 왔다. 표적은 더 좁혀져 마르고 약한 나의 장기를 내놓기를 원했다. 나는 본가의 가족들과 연락을 두절하였다.

시간이 다 되어 장기 공여자를 대상으로 하는 각종 검사하게 되었다. 공여자는 바로 "나"였다. 긴 검사 시간이 있었고, 하기 싫은 검사도 있었고, 피도 많이 뽑았다. 병원에서는 공여자의 건강을 우선으로 한다고는 하였으나 막상 검사과정에서는 공여자의 건강상태와 수여자의 상태를 조율하였다. 나의 건강 상태는 평범하여 공여자로 굳혀져 갔다.

같은 병원에 입원 중인 친정아버지는 딸이 그런 결정하는 것을 모르고, 독한 항암치료로 정신을 잃어 가고 있었다. 병간호를 맡은 친정엄마는 "김 서방을 살려야지." 하면서, 나를 위로하였지만, 많이 울고 있는 친정엄마 눈을 보았다.

지나간 그 많은 시간 중에 가장 아쉬웠던 것은 바쁜 시간 중에 얻은 '휴가 기간'을 늘 본가의 식구들과 함께 보내면서 우리만의 시간을 가지지 못한 것이 더 아까워졌다. 점점 빨리 다가오는 수술 날짜가 두려웠는데, 이상하게도 대학원 수업을 들으며 이 복잡한 상황을 억지로 참아가며 이겨 내려는 나를 보았다. 나를 위해 나에게 해 줄 수 있는 일이 유일하게 "공부하며 보내는 시간"뿐 이라는 생각과 나를 위한 일종의"보상"이라고 생각되었다.

수술을 앞둔 며칠 전, 나를 걱정하는 오빠, 남동생 두 명, 여동생이 돌아가며 전화로 힘내라는 말을 하였다. 말은 이렇게 하면서도 모두가 울먹이며 겨우 말을 이어갔다.

한여름 가장 더운 날 나는 남편과 함께 수술실로 들어갔다. 순간 같은 병원에서 입원하고 있는 아버지의 얼굴도 스쳐 가고 곁에서 간병 중으로 지친 엄마의 얼굴도 지나갔다. '내가 수술하는 중에 아버지가 돌아가시면 안 되는데….'이건 나를 간병 하러 온 여동생의 걱정이기도 하였다.

먼저 내가 수술하였고, 그 옆방을 통해 나의 장기가 남편을 살리는 역할을 하러 남편 몸속으로 이식되었다. 시간이 얼마나 흘렀는지 아무런 기억도 없고, 단지 수술방에서 처음 보는 젊은 마취과 의사의 손을 꼭 잡고 눈이 감겼던 기억만이 또렷하다. 눈물이 끊임없이 흘렀다. 이제 무엇을 위한 것인지도 인지되지 않고 처참한 몸뚱이만 남게 된 기분으로 그냥 울고 또 울기만 하였다.

눈을 뜨고 보니 통증이 애 낳은 통증의 10배보다 심했다. 너무 아파서 진통제 버튼을 계속 눌렀다. 그 부작용으로 내 머리는 벽에 부딪혀도 아프지 않을 정도로 무감각해졌고 계속 벽에 머리를 처박았다. 머리가 깨지는 고통이 계속되었다. 처박혀서 어디론가 떠나가 버리고 싶었다.

침대 아래에는 여동생이 억지로 웃다가, 소리 없이 울다가 하고 있었다. 언니가 너무 아파하니까 같이 울어주다가, 형부도 회복실에 있다고 하면서 나를 위로해 주었다. 지금 생각해도 동생의 아픈 마음이 전달된다. 형부와 언니를 생각하는 여동생의 마음이 어땠을까?

내가 먼저 퇴원하여 집으로 돌아왔고, 7일 뒤 남편도 뒤이어 집으로 돌아왔다. 그리고 일주일 뒤 아버지가 돌아가셨다는 부고를 새벽에 듣게 되었다. 수술 후 몸이 너무 아픈데 이런 일이 겹쳐서 정신이 나간 상태였다. 무엇인가 와르르 무너지는 슬픔이었다. 내 몸이 아프지도 않았다. 상처를 싸매고 장례식장에서 차갑게 식은 아버지를 보았다. 살아있는 자의 몫은 이런 것이었다.

남편은 끝내 장인의 발인도 보지 못하고 시간이 가버렸다. 살아보려고 붙잡아 보려고 애를 썼지만, 아버지의 생명은 이것으로 끝이었다. 수술실에 가기 전 아버지의 얼굴을 보았다.

나의 소식을 모른 채, 손을 잡고 눈은 허공을 보았던 그 모습이 지금 생각해도 눈물이 펑펑 쏟아진다. 그 옆에서 친정엄마는 병든 아버지보다 수술 앞둔 나를 걱정하며 몰래 우셨다.

9월이 되고 모든 게 끝나고, 수술한 지 한 달 만에 나는 억지로 다시 대학원 수업을 이어서 하였다. 무슨 생각이었는지 이것이라도 해야 했다. 아이들 어릴 때 우연히 시작하였던 나의 강사 생활은 학위를 얻으면서 더 활기를 얻었다.

두 번째로 졸업한 석사에 이어 세 번째로 진학한 대학원은 박사였다. 더 힘들었지만, 나에 대한 "보상"인 것처럼 느껴져 참아가며 꾸역꾸역 해 나갔다. 그러는 동안 남편에게 새 생명을 나눠 준 나는 그를 원망도 하고, 미워도 하고 의지하기도 하였다. 지금 그는 나의 짝꿍으로 내 옆에 살아있다. 살아 있는 것이 그냥 고맙다.

그리고 태어나서 거의 경험하기 어려운 이런 아픔을 경험하면서 느끼게 된 것은 가장 소중한 사람은 "나"라는 것, "나에게 주어진 시간을 잘 지켜야 한다."라는 것을 깨닫게 되었다. 사계절이 지나가는 동안 "나에게 주어진 시간"을 잘 쓰고 싶다. 지나가 버리기만 하고 다시는 돌아오지 않는 그 시간을 내 가족과 함께 잘 쓰고 싶다.

지금이 가장 좋은 때

계절 : 봄
시간 : 2024년 4월
장소 : 산

내게 새 생명을 받는 남편은 아직도 끝나지 않은 고통에서 시달리고 있다. 수술만 하면 끝날 것 같은 고통에서 벗어나지 못하고 여전히 두통과 어지럼과 소리와 말도 못하게 많은 질병들에 시달리고 있다.

아침이면 항상 듣는 남편의
"나 오늘이 마지막일 것 같다", "오늘은 진짜 몸이 이상하다"
라는 말을 들으면서 하루를 시작한다. 나도 무섭고 두렵지만 돌봐줘야 할 두 아들이 있고, 내가 갈 길이 있다.

남편에게,
"오늘이 제일 좋은 날이야."
라고 주문을 외우라고 말해주고 있다.
"아직은 음식을 먹을 수도 있고, 걸어 다닐 수도 있고, 스스로 숨도 쉴 수 있고, 친구도 만날 수 있고, 아프지만 회사도 갈 수 있으니까 좋다."

"이렇게 우리의 시간이 연장되어서 고맙다."고 마음을 바꿔준다.

몸이 힘들다는 말을 들으면서도 내 삶을 멋대로 두고 싶지 않아서, 오늘도 다시 시작해 본다. 이제 한 모퉁이만 돌면 이렇게 아픈 생활도 편안한 생활로 바뀌는 지점에 와있다고 생각한다. 나를 버티게 해주었던 힘들면서 할만했던 학업에서도 벗어나 "지금이 가장 좋은 때"라고 말하면서 이겨 내고 있다. 내 마법의 말이 효력을 발휘할 것이다.

남편과 나는 하루도 쉬지 않고 밤마다 뒷산으로 올라가 황톳길을 걷고 있다. 맨발 친구들과 걸으며 몸과 마음을 치유하는 수다를 떨며 살고 있다. 이제 한 모퉁이만 돌면 분명히 그들과 즐기는 '편안한 시간'이 기다리고 있을 테니까. 한 모퉁이만 잘 참고 가볼 것이다.

내일은 내일의 해가 뜰 테니까.
- 영화 바람과 함께 사라지다, 스칼렛 대사 중에서 -

이영주

보건학 석사(보건관리 및 병원행정), 간호학사 초등학교 보건강사,
고등학교 주문형강좌 강사, 간호 특성화고등학교 교사
간호조무사, 요양보호사, 장애인활동지원사 강의 14년
지역아동센터 학습 강사, 1388 청소년 지원단 멘토,
국가직무 능력표준(NCS) 강사, 돌봄 사업종사자 보수교육 강사
온라인 직무교육 첨삭 강사, 직업능력개발훈련 강사
은하출판사 동영상강사, 노원여성인력개발센터 강사
부천대학교 평생교육원 외래교수

탈출할 수 없었지만 탈피하니
나는 나비가 되었다.

"과감히 꿈꿔라! 만약 당신이 그것을 꿈꾼다면
당신은 그것을 할 수 있다."
-월트 디즈니-

4살, 세상에서 가장 무서운 남성

계절 : 네모난 회색빛
시간 : 1985년 어느 날
장소 : 서울 하늘 아래 작은 방

무릎 정도 높이의 삐뚤빼뚤한 돌로 만든 계단들이 저 끝 하늘 아래까지 보였다. 나는 내 앞에 성인 남성을 따라 힘겹게 계단을 올라가고 있었다. 어디로 가는지, 내 앞에 남성은 누구인지는 전혀 알 수 없었지만, 그냥 내 몸이, 내 마음이 그렇게 남성을 따라 올라가고 있었다.

어느새 도착한 곳은 작은 단칸방이었다. 방 한쪽에는 지퍼가 달린 어두운 감색의 비키니 장롱이 있었고 방 중간에는 밍크 담요가 어지럽게 깔려 있었다. 나는 본능적으로 숨을 죽이며 무릎을 꿇고 방 안 여기저기를 조심스럽게 눈알만 굴리며 쳐다보았다.

나의 맞은편에 나이 많은 그 남성이 앉아 있었고, 내 옆에는 엄마가 앉아 계셨다. 바로 그 순간 내 머릿속 기억 장치의 버튼이 눌려져 기록이 시작되었다. 내 머릿속에 저장된 첫 장면은 바로 새 아빠와의 처음 만남이다.

4살 정도부터 시작된 새아빠와의 생활은 보수적이고 가부장적이며 의심이 많은 아빠의 성격과 자유분방하고 털털한 내 성격과 늘 부딪치며 너무나도 힘든 유년기를 보냈다. 그래서였을까 나는 살면서 아빠에게 "아빠 사랑해요","아빠 업어줘." 하며 보통의 딸처럼 요구한 적도 애교를 부린 적이 단 한 번도 없다.

검은색 직사각형 자동차가 서 있는 서울 이태원의 한 양옥집, 그 당시 소위 잘 사는 집이었다. 철없는 20대 막내아들은 가족들이 모두 미국으로 이민을 떠날 때 친구들이 좋다고 홀로 한국에 남았다.

세상 물정 모르는 부잣집 막내아들은 친구들과 술을 마시고 미래에 대한 어떤 준비도, 어떤 계획도 없이 시간을 보냈다. 그 후 가진 돈은 다 써버리고 집도 자동차도 남은 건 없었다. 40대가 된 막내아들은 누구보다도 일찍 새벽 문을 열고, 가족을 책임지기 위해서 아파트 건축 현장으로 출근하였다.

아파트 현장에서 고된 일을 하시고 퇴근하여 돌아오는 집은 따뜻하고 편안한 안식처가 되어야 하는데 어린 나와 병든 엄마는 그 안식처가 되어 주지 못했다. 오늘이 또 지옥이 되지 않으려 소리 없이 발버둥을 칠 뿐이었다.

하루 담배 2갑, 그것은 매일의 반복이었다. 아빠가 담배 심부름을 시키시면 나는 그 이름을 잃어버릴까 봐 담배 이름을 수백 번 작은 소리로 읊조리며 구멍가게로 전력 질주하여 달려가서 담배를 사고 아빠에게 가져다드렸다.

아빠는 밤에 주무시면서 셀 수 없을 정도로 기침하였다. 그리고 또 줄담배를 피우셨다. 작은방이 연기로 가득 차올랐다. 내가 할 수 있는 것은 웃옷을 잡아 힘껏 당겨서 입과 코를 막고 고통스러운 시간을 작은 몸으로 견뎌내는 것뿐이었다.

2012년 아빠가 돌아가시기 전 1년여 동안 병원에서 의식 없이 식물인간 상태로 누워계셨다. 병원 침대에 누워계시는 아빠의 볼 위에 뽀뽀와 귀속에 사랑한다는 말을 태어나서 처음으로 그리고 내 인생에 가장 많이 해드린 것 같다.

부모님들은 자식들이 효도하기를 기다려 주지 않는다고 했는데 맞는 말이었다. 아니 사실 나는 기적을 바라고 바라며 1년여 동안 정신이 반쯤 나간 상태로 생활하였다. 내가 뜨거운 불 속으로 들어가서 아빠가 다시 건강하게 돌아온다면 나는 기꺼이 불 속으로 들어가 죽을 수 있다고 생각했다. 장례식장에서 물 한 모금 마실 수가 없었다.

내가 할 수 있는 것은 흐르는 눈물을 닦는 것과 극심한 스트레스와 자발적 금식으로 날카로운 칼로 푹푹 찌르며, 있는 힘껏 쥐어짜는 위경련의 통증을 참는 것밖에 없었다.

돌아가신 아빠의 상실감, 공부한다고 집에 생활비를 못 가져다드린 것에 대한 죄책감. 아픈 엄마를 오롯이 내가 책임져야 할 부담감 등 여러 감정이 뒤섞여서 절벽 끝 가장자리로 나를 밀어 세우며 위태롭게 서 있게 하였다.

2011년 뇌 병변 장애 1급, 그것이 아빠의 추가된 복지 카드 종류였다.

젊은 시절 잠수를 즐겨 하시고 소홀한 귀 관리로 생긴 염증은 결국 양쪽 고막을 녹게 하였고, 머리뼈까지 녹을 수 있다는 의사의 설득 끝에 아빠는 60대 나이에 양쪽 인공고막 수술하였다.

저하된 청력으로 의심도 많고, 의사소통 능력이 떨어져 아빠는 대우를 잘 받지 못하셨다. 그래서 청각장애 3급을 받고 보청기를 하였지만. 그 숨 막히는 고지식함과. 짱돌처럼 단단한 아집으로 안경을 쓰면 남들이 무시한다고 외출하실 때면 안경도 보청기도 다 놓고 나가셨다.

칠흑 같은 어둠 속에서 텔레비전을 보시고, 최대 볼륨을 높인 이어폰을 귀에 끼시고 거실에 어지럽게 깔린 이불 위에서 청계천에서 사 온 오래된 서부영화, 홍콩 영화들을 보시는 게 유일한 낙이었다.

어느 날 하교 후 현관에 고이 놓여있는 아빠의 안전화를 본 순간

느낌이 불길하였다. 아빠는 일하시다가 추락하는 사고로 팔꿈치 뼈가 산산조각이 나서 복합골절로 응급수술이 들어가신 상황이었다.

퇴원 후 집에서 요양하시는 생활이 시작되며 나는 3학년 2학기 때 진학이 아닌 취업으로 급 방향을 선회하였다. 아빠는 무료함을 달래기 위해서 성인 오락에 빠져서 하루를 무의미하게 보내기 일쑤였다. 하루는 이틀이 되고, 몇 달이 되고, 그리고 몇 년이 되었다.

70만 원 월급이 입금되는 날 아빠는 회사 앞으로 찾아오셔서 창문 밖 멀리에 서서 나를 기다리고 계셨다. 나는 ATM기로 가서 한 달 용돈 5만 원을 뺀 후 아빠에게 월급 전부 다 찾아드렸다. 그렇게 5년 동안 집안에 한 번도 빼놓지 않고 월급을 가져다드렸다. 마이너스 통장 500백만 원까지 메꾸고 나니, 대략 3천만 원 이상이었다.

하지만 집안 사정은 점점 더 나빠지기만 하였고, 아빠는 부족한 생활비를 집 담보 대출을 받아 충당하시고, 이내 그것이 바닥이 나면 대출을 또 받으셨다. 더 이상의 대출이 어려워지자 살고 있는 아파트를 팔고 길 건너 공장 옆 월셋집으로 이사하기로 했다. 계약서에 서명하고, 이사를 앞둔 한 달 전 아빠는 화장실에서 쓰러지셨다. 그리고 컴컴한 의식 속에서 1년을 누워계시다가 돌아가셨다.

악순환의 톱니바퀴는 아침저녁으로 계속 돌고 있었다. 목구멍까지 담보 대출을 깔고 앉아 있는 집, 그 안에 병든 엄마와 삶의 의지를 잃어버린 나이 많은 아빠가 나만을 바라보며 집착하고, 나만을 의지한 채 앉아계셨다.

나는 그 무게를 어깨에 짊어지기 힘들어서 입술에 달린 지퍼를 단단히 잠그고 목구멍 아래로 소리치며 눈물을 흘렸다.

세상은 나에게 '네가 세상에서 제일 불쌍한 존재야'라고 말하는 소리가 들렸다. 나만 빼고 행복해 보이는 남들의 모습이 내 망막 위로 비추어진다. 사방이 막힌 길고 긴 어둠의 터널 속에서 탈출할 수 없어서 혼자 서 있었다.

4월, 첫눈에 반한 남자

계절 : 달콤 쌉싸름한 분홍빛
시간 : 2017년 4월 어느 날
장소 : 벚꽃이 흩날리는 서울 하늘 아래

다이어리에 가득 빡빡한 일정들을 잡아 쑤셔 넣고 쉬지 않고, 일을 하고 돈을 벌었다. 아빠가 돌아가신 후 나는 아픈 엄마를 책임져야 할 책무감에 내 몸을 혹사하면서 일을 하였다. 주무시는 엄마를 뒤고 푸른빛 새벽하늘을 보고 출근하고, 밤하늘 달빛을 보며 별들과 함께 퇴근하면 엄마는 또 주무시고 계셨다.

내가 태어나기 전부터 엄마는 환자였고, 사회적 약자이자, 장애인이었다. 그리고 내 삶의 존재이자 나에게 호흡을 불어넣어 주시는 생명의 근원이다. 열거할 수 없는 많은 진단명과 질병으로 그 감옥에 갇혀서 평생을 고통 속에 살고 계신다.

퇴근 후 엄마의 신발을 확인한 후 엄마를 불러본다. 엄마의 대답이 없으면 나는 놀라서 안방으로 소리치며 다급하게 뛰어 들어간다. 엄마가 주무시고 계시면 손가락을 엄마 코밑에 살짝 대고 숨결을 확인한다. '주무시고 계셔서…. 다행이다.'. 놀란 가슴을 쓸어내린다.

언제 돌아가셔도 이상하지 않은 엄마의 상태를 바라보며 날이 새파란 칼날 위에 서 있다. 내 발아래 상처를 확인할 수 없다. 아니 확인할 필요가 없다. 내 몸뚱어리보다 엄마가 우선이고, 엄마만 건강하게 내 곁에 계시면 나는 괜찮다. 병원으로 새벽에 출근하여 주사기를 들고 간호사로 일을 하고 퇴근한다. 집으로 와서 조금 쉰다. 방바닥에 널브러져 있는 옷을 주섬주섬 주어 걸치고 학원으로 가서 저녁에는 마이크를 잡고 강사로 일을 하였다.

큰 가방을 어깨에 둘러메고 시간에 쫓기며 계단을 2~3개씩 폴짝폴짝 뛰어오르고, 뛰어다니면서 이동한다. 멀리 지하철이 요란하게 소리를 내며 들어온다. 얼른 편의점에서 산 차디찬 김밥을 내 목구멍 아래로 밀어 넣는다. 입안 가득 우걱우걱 씹으며 지하철에 몸을 구겨 싣는다.

학원 수업이 끝나고 돌아오는 길에, 마트에서 비싼 딸기 한 팩을 산다. 엄마 드릴 생각에 절로 기분이 좋아 발걸음이 가볍다. 집으로 와서 수돗물에 휙~ 휙~ 헹구어서 엄마 드시라고 얼른 앞에 놓아드린다. 엄마는 맛이 있으신지 맛있게 잘 드신다. "너도 먹어~"

"아니야 나는 괜찮아~엄마 많이 먹어" 내 목구멍으로 딸기 한 개조차 넘어가는 게 아깝다.

질병의 감옥에서 갇힌 엄마는 모진 시집살이에 견디지 못하시고 내 위로 3살 터울 언니만 두고 쫓겨나다시피 어린 나만 데리고 집을 나오셨다. 그리고 새아빠 밑에서 나를 사랑으로 키워주셨다. 나라는 존재 때문에 새아빠에게 더 눈치가 보이고, 삶이 더 고단하셨을 엄마를 생각하면 목이 멘다.

아픈 엄마를 두고 나 혼자 살겠다고 결혼해야 할 생각도 없었고, 혹시 결혼한다면 아픈 엄마를 이해하고 모시고 살 수 있는 남자가 나에게 필요했다. 내 주위에서는 그런 남자는 없으니 그냥 엄마만 모시고 평생 살든가 엄마를 시설로 보내라고 하였다.

아빠는 코가 삐뚤어지게 술을 드시고 오셔서 밤새워 듣기 싫은 넋두리를 또 하신다. 그다음 날은 기억을 못 하시면서 늘 하셨던 말씀은 "엄마 버리지 말고, 엄마 평생 모시고 살아라, 아빠는 죽어도 안 떠나고 너랑 엄마를 곁에서 지켜줄게."이다.

취중 마법이 일어난 것일까? 뇌 병변 장애 1급으로 넣은 임대아파트 청약 당첨 문자를 아빠가 돌아가시고 2주 후에 받았다. 그 후 월세 35만 원에서 더 저렴한 임대 아파트로 엄마와 이사하게 되었다. 그리고 늘 나와 엄마를 지켜준다는 아빠의 취중 진담 약속은 내가 바라는 남자를 만나게 해주었다.

그날은 강의가 없어 오랜만에 여유로운 오후였다. 소개로 만나는 그 남자가 조금 늦는다. 4월이지만 볕이 따가워 얼굴이 절로 찌푸려진다. 입고 온 분홍색 트렌치코트마저 덮게 느껴진다.

저 멀리 그리 비싸 보이지 않는 자동차가 다가오더니 빵빵한다. 얼른 몸을 구겨서 차에 싣는다. 조급한 나와는 다르게 행동이 여유로워 보이는 남자는 스파게티를 먹으러 가자고 한다. 한식뷔페나 가서 배 터지게 실컷 먹고 싶은 마음이지만 그냥 "네"라고 대답했다.

그 남자가 데리고 간 스파게티집은 오늘 휴무라고 팻말이 붙어있다. 남자는 당황해하며 손가락이 핸드폰 위에서 바삐 움직인다. 나는 비싸서 평소 가지 않았던 패밀리 레스토랑의 이름을 아무렇지 않게 말해 주었다. 다행히 그 남자는 그곳으로 운전대를 돌렸다.

접시를 바삐 바꾸며 음식에 집중하였다. 테이블에 마주 보고 앉아서 음식을 한 숟가락 가득 뜨고 입에 넣으며 고개를 드는 순간 내 앞에 앉아 있는 남자를 바라보았다. 얼마나 시간이 흘렀을까? 아마 0.2초 정도…. 나는 순간 그 남자를 제대로 쳐다볼 수가 없었다. 너무 잘 생겨서 놀란 내 마음이 들킬까 봐 숨죽이며 아무렇지 않은 듯 음식을 입안 가득히 밀어 넣었다.

그렇게 그 남자와 연애는 시작되었다. 주 7일 근무하면서 시간을 쪼개고 쪼개어 남자를 만났다. 주말에 지방으로 강의를 갈 때면 몇 시간을 운전하여 나를 데려다주고 수업이 끝날 때까지 밖에서 4시간을 기다려주었다.

37세 나는 많은 고민에 빠지게 되었다. 엄마에 관한 이야기와 학자금 대출금과 대학원에 재학 중이어서 졸업 전까지 학비가 추가로 들어갈 수 있다는 그런 유쾌하지 않은 내용이었다.

남자는 32평 아파트를 준비해 놓은 상태였고 가장 밝고, 볕이 잘 들어오는 방을 어머니 방으로 하겠다며 흔쾌히 아픈 엄마를 이해할 수 있고, 함께 모시고 살 수 있다고 하였다. 어떠한 것도 바라지 않고 텔레비전만 1개 사서 아파트로 들어오라고 하였다.

우리는 만난 지 8개월 만에 같이 가정을 이루고 살게 되었다. 요구사항인 텔레비전만 1개 사서 그 집으로 들어갔다. 엄마에게는 가장 좋은 방을 내어 드렸다. 새아빠와 살면서 나 때문에 눈치 보며 힘겹게 사셨던 엄마…. 이젠 내가 지켜드릴 차례이다.

44살, 귀여운 남아

계절 : 아직은 더운 갈색빛
시간 : 2021년 9월
장소 : 희망을 품은 하늘 아래

여자는 아이를 낳으면서 탈피 과정을 겪는다. 엄마가 되면서 나의 삶은 또 달라졌다. 첫 아이를 낳고 여전히 고등학교 시간강사로, 학원 강사로, 온라인 첨삭 강사로 바삐 살고 있었다.

엄마는 심장 대동맥 박리, 대장암, 자궁암, 위암으로 4번을 가슴과 배를 여는 수술하셨다. 수술실 앞에서 하나님과 부처님 하늘에 계신 아빠를 순서대로 찾으며 제발 엄마를 살려달라고 두 손모와 간절히 기도하고, 소리치며 울부짖었다.

앞으로 엄마에게 더 효도하겠다고 지키지도 못하는 약속을 또 수없이 되뇐다. 중환자실에 누워 계신 창백한 엄마의 모습, 그 모습이 혹시 마지막일지 두려워 내 눈에 기억 장치의 버튼을 눌러 사진을 여러 장 찍는다. 살아 계심에 감사하고 수술을 집도해 주신 교수님께 코가 땅에 닿도록 인사를 드린다.

첫 아이를 제왕절개하고 돌아온 입원 병실에서 상상 이상의 고통을 느꼈다. 길고 두꺼운 송곳으로 내 배를 계속 후벼 파며, 깊숙이 찌르는 통증으로 손가락 하나 까딱할 수가 없었다. 뜨거운 눈물이 내 뺨 위로 흘러 베개를 차갑게 적신다.

나는 고작 제왕절개술 1번 하고 아프다고 남편에게 짜증을 부리는데 엄마는 큰 수술을 4번이나 하셨으니 그 고통이 감히 가늠되지 않는다. 딸아이를 보며 부모가 된 놀라움과 신기로움으로 육아와 일 그리고 아픈 엄마를 모시며 하루를 바삐 보냈다.

의지할 사람 없이 외롭게 살아온 내 인생이 싫다. 딸아이에게는 외롭지 않게 동생을 만들어 주고 싶었다. 40세의 임신은 숨 쉬는 것조차 힘들어 소파와 한 몸이 되어 하루 종일 누워있었다. 큰 애처럼 당연히 별문제가 없을 것이니 태아보험 가입을 차일피일 미루었다. 하지만 기형아 검사에서 염색체 이상 소견으로 큰 병원에 가서 정밀검사를 받아보라는 의뢰서를 받은 후 돌멩이로 뒤통수를 세게 얻어맞은 기분이었다.

병원에 가서 혼자 검사를 받았다. 검사 결과가 나오기까지 기다려야 하는 고통의 시간이 찾아왔다. 집으로 돌아오는데 3살 딸아이가 대소변이 가득한 기저귀를 차고 베란다에 서서 나를 기다리고 있었다. 내 마음은 불안하였지만, 엄마와 큰아이를 챙기느라고 내 감정을 추스를 시간이 없다.

결과가 나온 후 의사는 치료 유산이나 다시 2차 정밀검사를 받을 것을 권하였다. 아픈 엄마를 평생 책임지며 사는 나의 삶 속에 '내 자식의 아픔까지 감당할 수도 있겠구나!' 하는 생각이 나의 호흡을 막고 나의 심장을 강하게 조여왔다.

2021년 9월, 내 나이 마흔한 살에 남편과 똑같이 생긴 아들을 낳았다. 그 후로는 더 이상의 검사는 받지 않았다. 어떠한 모습으로 태어난다 해도 내 아들이고, 앞으로 어떻게 살아 나갈지는 아들의 몫이다.

아이들을 뜨겁게 사랑해 주고, 기다려주고, 응원해 주는 게 우리 몫이라고 생각했다. 다행히 아들은 건강히 태어났다. 우리 집 애교쟁이, 말썽꾸러기가 되어 지금 귀엽고도 미운 4살이 되었다.

인생에 객관식 정답은 없다. 나는 어두운 터널 속에서, 다섯 계단 아래 여름에 비가 오면 물이 들어와 밤새 바가지로 퍼내야 하는 지하방에서, 35만 원 월세방에 살면서 힘든 적이 있었다. 작은 고난이 가면 행복이 오고, 또 행복이 가면 더 큰 고난이 오기도 한다.

가난은 죄가 아니며, 부모님 또한 내가 선택한 것이 아니다. 하지만 내 인생은 내가 선택하고 계획하고, 실행하고, 꿈꾸는 대로 흘러가게 되어있다. 깊은 수렁 속 끝없이 우울한 회색도 때론 달콤새큼 분홍색으로 물들고, 때로 38도 뜨거운 빨간색이 되기도 하고, 모든 것을 수용할 수 있는 중립의 흰색이 되기도 한다. 인생은 해답 없는 주관식이다. 24가지 색 크레파스 어떠한 색으로 내 인생 도화지에 그림을 그리고 어떤 색으로 칠을 할지는 바로 내가 선택한다.

아이들을 등원시키고 교육원으로 가서 수업한다. 노트북을 열고 온라인 직무 교육 채점하고, 지역아동센터의 아동들을 만나고 청소년 상담복지센터에서 청소년들을 만나 학습지원과 정서적 지원한다. 도서관에 가서 책을 읽고, 자격증 공부한다. 인문학 강연을 찾아가서 듣고 다이어리에 여전히 숨 막히는 일정들을 빼곡히 써 내려간다. 그때 나는 살아있음을 느낀다.

아들을 포대기에 업고 냉장고에 붙은 한자들을 보며 공부하고 한자 자격증을 취득한다. 새벽 5시에 일어나 기사와 산업기사 두꺼운 책을 읽고 읽으며 기능사, 산업기사, 기사 시험에 합격한다. 한 달 동안 지인들과 모임도 거부한 채 두문불출 후 사회복지사 1급을 취득한다. 자연 유산이 되어 수술받고 다음 날부터 방에 들어가 슬픔을 접어 책에 끼워둔 채 계획을 세우고 20일 동안 공부하여 위생사에 합격한다.

나는 어제도, 오늘도, 내일도, 아니…. 평생을 그렇게 살 것 같다. 같이 사는 가족들 때문에 사는 게 미치도록 힘들었다. 10층 아파트 내 방 창문에서 뛰어내리고 싶었다. 죽지 않을 정도 교통사고가 나서 병실에 누워만 있고 싶었다. 매사에 부정적이고, 완고한 성격의 새아빠 그리고 힘없이 누워 계시는 아픈 엄마. 하지만 그 가족들이 내 삶의 원동력이 되고, 살아갈 이유와 정답이 되어 지금 여기에 내가 서 있다.

아직은 내 편인 남편과 그 무엇과도 바꿀 수 없는 엄마, 나를 닮은 6살 딸, 남편을 닮은 4살 아들은 내 삶의 주관식 해답이 된다.

임미리

영어영문학 전공
전업주부 30년 차

줌바! 줌마를 날아오르게 하다

나를 힘들게 하는 사람들이
모두 나를 가르치는 스승들이라고 여기며
지혜롭게 살아야합니다.
-멈추면 비로소 보이는 것들 中-

누구나 어려운 시기는 있다

인간에겐 누구나 힘든 시기가 있다. 몸, 마음, 영혼까지 탈탈 털리며, 나 자신을 갈아 넣어서라도 어떤 결과물을 도출해 내야 하는 시간 말이다. 그 고달픈 시간을 잘 통과하려면 자신만의 탈출구는 꼭 필요하다. 만약 탈출구가 없다면 인간은 미쳐버리든지, 남보다 빨리 죽게 될 것이다.

따라서, 인간은 자신을 억압하는 것으로부터 해방감을 느끼고, 다시 일상으로 돌아갈 수 있는 내면의 힘을 충전하기 위해 탈출구를 찾으려 노력한다. 그것은 일개 도구일 수 있으나, 인간의 삶을 풍요롭게 해 줄 수 있다는 점에서 인간의 구원과 맞닿아 있다고 할 수도 있겠다.

우리는 보통 그런 것을 종교 활동이나 취미 생활, 인간관계 등 다양한 탈출구를 통해서 도움을 얻는다. 나에게도 여러 가지가 있었지만, 특별히 운동이 그 역할을 해주었다.

나는 말이 없고, 소심한 성격이라 지나온 시간이 힘들고 두려웠다. 말이 없으니 당연히 인간관계가 힘들었고, 매끄럽지 못한 사회생활은 나를 항상 지치게 했다. 그래도, 잘 참는 성격 덕분에 나의 초년 시절은 비교적 순탄했다. 나 자신도 내 인내심 레벨을 꽤 높게 평가했다.

그러나, 그것이 단지 나만의 착각이었다는 것을 알게 한 사건이 있었으니, 그것은 바로 나의 결혼이었다. 결혼 생활은 그동안 단련해 온 내 미덕 -온순, 순종, 인내, 배려, 희생 등 이 별로 쓸모가 없었다. 한 공간에 남편을 포함한 새로운 식구와 오랜 시간 같이 있었기 때문에 의도하지 않은 갈등이 항상 나타났다. 거기에 나와는 정반대의 성격과 생활 습관은 그 갈등을 부채질했다.

모든 물건에는 각자의 자리가 있다는 정리 정돈의 달인! 아침형 인간! 극도의 부지런함! 이것이 남편과 시어머님의 성격과 생활 습관이다. 애석하게도 나는 이런 장점을 갖추질 못했다. 게다가 나에게는 치명적 약점이 있다. 나는 고집이 세고 자기주장이 강한 편이다.

나는 내 미덕으로 무장해 열심히 잘 참아내다가 한 번 무섭게 폭발하는 스타일이다. 카리스마 있는 성격의 시어머님께서 노년에 시아버님께 하신 말씀이 그 상황을 잘 설명해 주고 있다.

"나도 내 며느리는 무섭습니다."

그러니 내가 이 새로운 세계에 적응하려면 얼마나 힘에 부쳤을지 상상이 갈 것이다. 행복할 거라는 부푼 기대도 잠시! 나의 결혼 생활은 나의 최대 시련의 시작이었다.

나의 슬픈 두 친구

결혼 초기에 시어머님께서는 "한 사람의 희생으로 나머지 가족들은 행복해질 수 있다."라고 말씀하셨다. 그 한 사람은 바로 나였다. 시어머님은 나에게 며느리, 아내, 엄마로서의 희생적인 사랑을 원하셨다. 나는 같은 여성으로서 희생만을 강요하시는 시어머니가 야속했지만, 내가 선택한 결혼이니 일단은 그 말씀에 순종해 보려고 노력했다.

권위적인 남편과 시부모님 밑에서 아내로서, 며느리로서, 최선을 다해 보려고 동분서주했으나, 나는 그분들의 기대에 못 미치는 특급 조언이 필요한 어린 양에 불과했다. 우리 5060세대는 유교적 관념을 배우며 성장해 온 마지막 세대인 것 같다.

나 또한 며느리로서 내가 할 일을 해야 한다. 라는 생각이 많았다.

내가 하지 않으면 시어머님께서 하셔야 하니 그 전에 벌떡벌떡 일어나는 것이 습관이 되어서 나의 몸은 항상 힘들었다. 아이들이 태어나자 할 일은 많아져 몸은 더욱 힘들어졌다.

특급 조언과 집안일에서 잠시라도 피해 있을 수 있다면 나는 어디라도 갈 수 있을 것 같았다. 남편이 보기에도 내가 안쓰러워 보였는지 남편은 나를 데리고 수영을 배우러 다니기 시작했다. 시간 엄수에 철저한 남편은 수영 시간에 늦으면 큰일이라도 날 것처럼 일하고 있는 나를 몰아쳤다. 나는 집안일을 하다가 괜스레 시어머님의 눈치를 보면서 정신없이 남편을 따라갔다. 그런 남편이 밉기도 하고, 고맙기도 했다.

7년 정도 다니는 사이에, 수영에 취미가 붙고, 수영도 잘하게 되었다. 내 해방의 시간이니 거의 매일 열심히 다녔다. 답답한 나의 마음이 물살을 가르고 나아갈 때면 물속으로 그것들이 실타래 풀리듯 스르르 풀어져 나오는 것 같았다. 수영을 마치고 돌아오는 발걸음이 가뿐했다.

이제 점점 수영에 자신이 붙자, 남편과 나는 수영으로 한강 도강을 한번 해 볼까? 하는 부푼 희망도 품어보았다. 그런데 그것은 한낱 꿈으로 끝나버렸다. 내 몸의 이상으로 이제는 수영할 수 없게 된 것이었다. 나에게 성인 아토피가 발병하였기 때문이다.

아토피는 겪어본 사람만 아는 고통이다. 그 가려움의 고통은 말로 할 수 없을 정도로 심하다. 증상은 밤사이에 특히 심해지는데,

정신없이 긁어 피가 나서 잠을 이룰 수 없을 지경이었다. 얼마나 가렵던지 벽돌 기왓장으로 자기 몸을 긁었다던 성경의 욥이 생각났다. 나도 그렇게 해야 하나? 자문하며 참을 수 없는 가려움에 슬피 울었다.

그렇게 20여 년 동안 내 피부에 맞는 보습제를 찾아 헤맸다. 나는 피부를 온통 보습제로 뒤덮으며 낫지 않는 만성 아토피의 몸으로 살게 되었다. 피부는 너무 긁어대서 그 부분에 피부 착색이 왔다. 피부 색깔이 시커멓고 얼룩덜룩해져서 너무 보기가 싫었다. 내 몸이 내 스트레스의 흔적이라는 생각마저 들었다.

보습제와 피부과 약의 도움으로 어느 정도 아토피가 잡힌 것 같다가도 환절기와 무더운 여름에는 아토피가 어김없이 찾아왔다. 노력해도 도저히 피할 수 없었다. 문득 피할 수 없으면 즐기란 말이 생각났다. 그때부터 나는 아토피를 내 친구처럼 여기고 함께 살아보기로 했다.

그러나, 그 이후로 좋아했던 수영은 더는 마음대로 할 수 없게 되었다. 인간의 본능은 못 하게 되면 더 하고 싶어진다더니, 우습게도 나는 물만 보면 뛰어들고 싶은 '연가시 증후군'이 생겼다.

그렇다고 운동을 포기할 수는 없었다. 극 내향성인 나에겐 나만의 시간이 필요했다. 그래서 다음으로 선택한 것은 헬스였다. 한 번 가면 시부모님을 피해서, 나만의 시간을 오래도록 가지기 위해, 아이들 하교 전까지, 두세 시간씩 운동했다. 러닝머신을 뛰고, 요가도 하고, 에어로빅도 하고, 그렇게 할 수 있는 것은 다 했다.

그러자 이번에도 몸에 무리가 왔는지 문제가 생겼다. 발바닥에 통증이 느껴져 걸을 수가 없었다. 족저근막염이었다. 너무 운동을 많이 해서 발바닥을 이루고 있는 근육에 염증이 생겼다고 했다. 이제 오랜 시간 강도 높은 운동은 할 수가 없었다.

오랜 세월 치료를 통해서 조금씩 나아졌지만, 평소보다 조금만 많이 걸어도 어김없이 발바닥에 통증이 왔다. 스트레스를 풀자고 한 운동이 오히려 나에게 스트레스로 다가왔다. 건강해지기 위해서 하는 운동이 오히려 날 아프게 했다니 참으로 아이러니가 아닐 수 없었다.

두 번째로 내 몸이 상하게 되니 여러 생각이 머리를 스쳤다. 나의 염증 덩어리의 몸들! 염증을 만들어 낸 나의 그 오랜 운동의 시간! 내가 해 왔던 운동은 도대체 나에게 뭐란 말인가? 건강을 위한 목적이 아니어서였을까? 사실 나에게 운동의 목적은 건강보다는 누군가를 피해서, 그리고 시간을 소비하기 위해서였다.

그 시간을 나는 온전히 즐기지 못했다. 결국, 내가 아프게 된 것은 나의 동기가 선하지 못해서였을지도 모른다. 는 생각이 들었다. 나는 나의 고통을 통해서야 비로소 깨달음을 얻게 되었다. 그것이 삶을 살아내기 위해서였다 해도, 그래도, 선한 동기는 중요하다는 것을…….

족저근막염도 만성이 되어서 평생을 함께 갈 나의 친구가 되었다. 아토피와 족저근막염! 나의 두 평생 친구는 내 몸 상태가 좋지 않을 때마다 나타나 나에게 선한 동기의 중요성을 일깨워 준다. 나는 그들을 살살 달래주며 얌전히 놀다가 빨리 가주었으면 하고 바란다.

세월은 흘러 시아버님은 돌아가시고, 시어머님은 연로하셔서 거동에 불편이 왔다. 시어머님께서 혼자 계시면 위험할 것 같아서 나는 시어머님을 지켜야 했다. 마음대로 나가질 못하니, 하고 싶은 일들이 더 많이 생각났다. 여행도 가고 싶고, 자격증 따러 학원도 가고 싶고, 친구도 만나고 싶었다. 하물며 장보기도, 운동도 남편이 퇴근하고 온 다음에야 가능했다.

무엇보다도 시어머님이 새벽에 화장실 가시다 넘어지실까 봐 걱정되었다. 그래서 시어머님 방 옆 소파에 누워 자다가 문소리가 나면 벌떡 일어나서 부축해 모시고 갔다. 나는 화장실 밖에서 기다리다가 침대에 다시 누우시는 것을 도와드리고, 다시 소파에 잠을 청했다.

내 마음대로 생활할 수 없었고, 시어머님께 묶여 사는 것 같아 몸도 마음도 답답해졌다. 그렇게 조심했는데도 시어머님은 몇 번 넘어지셨다. 다행히 크게 다치시진 않으셨지만, 마음은 불안했다. 우리의 생활이 온통 시어머님께 집중돼 있었고, 남편도 나도 잠을 제대로 잘 수가 없었다. 그러나, 우리 둘이 24시간 어머님을 지키기엔 한계가 있었다. 그래서 시어머님을 요양원에 모시게 되었다.

이제 나는 자유다. 어디든 내 마음대로 갈 수가 있다. 배우고 싶은 것도, 쇼핑도, 친구도, 내가 원하면 언제든 할 수 있게 된 것이다. 한 달, 두 달, 석 달, 그렇게 시간이 흘러갔다. 그토록 하고 싶은 게 많았는데, 난 아무것도 하지 않고 있었다. 몸도 마음도 자유로워졌는데 말이다.

아무것도 하지 않는 내가 한심하게 느껴졌다. 난 이제껏 시어머님의 핑계만 대고 살아온 것 같았다. 그저 자유롭지 못한 내 인생을 한탄하며, 열심히 사는 사람들로부터 나만의 면죄부를 얻고 싶었을까? 상황이 바뀌었는데도 그저 아무것도 하지 않고 똑같이 있으니, 결국 나는 못 한 게 아니라 안 했다는 결론이 났다.

내가 게을러서 안 했던 것을 시어머님 핑계를 대었다고 생각하자, 시어머님께 죄송한 마음이 들었다. 모든 것이 마음먹기 나름이라는 말이 맞는다. 그렇게 마음먹는 것이 편해서 자신을 돌아보지 않았던 내가 후회되었다.

나는 30년의 결혼 생활 중 3분의 2 이상을 시부모님을 모시고 살았다. 그 긴 시간이 그저 힘들고 헛된 시간만은 아니었음을 얘기하고 싶다. 할아버지와 할머니의 사랑을 듬뿍 받고 자랐던 아이들은 요즘 젊은 세대들답지 않게 어른 공경을 잘한다는 얘기를 듣고 있다. 조직이나 모임 안에서 누가 시키지 않아도 솔선수범해서 어른들을 섬기고 있다. 그리고 나의 날카롭던 고집 센 성격은 모서리가 깎여 나가서 원만하고 둥글둥글해졌다.

인생에서 나를 힘들게 하는 사람은 나의 스승이라는 말이 있다. 아마도 나에게 시어머님 같은 분이 없었다면 나는 고집쟁이 부문에서 기네스북에 올랐을 것이다. 그리고 나의 노년에는 아무도 건들 수 없는 괴물이 되어 있을지도 모른다. 그렇게 힘들기만 했던 시간이 감사의 시간으로 바뀌고 있는 요즘이다.

가끔 나는 긴 세월 동안 갈고 닦았으니 인제 그만 하산해도 되지 않을까? 라고, 은근히 교만한 생각을 했었다. 그러나 요즘도 나는 나의 스승을 만난다. 인생의 배움에는 정말 끝이 없나 보다. 늦었지만, 내 인생의 스승이 되어주신 시어머님께 죄송하고, 감사하다는 말씀을 드린다.

앗싸! 내 세 번째 친구다

남들보다 늦게 폐경이 되었다. 그래서인지 나는 작년 일 년 동안 갱년기 증상을 심하게 겪었다. 내가 다니는 산부인과 의사 선생님께서 말씀하셨다.

"갱년기 여성의 몸의 상태는 군사가 갑옷 없이 전쟁터에 나가는 것과 같아요. 그러니 많이 불편하시면 여성 호르몬제를 복용하시기를 권합니다"

내 몸은 그분의 말씀 그대로였다. 여성 호르몬이라는 갑옷 없이 나는 맨몸으로 세월의 공격을 다 막아내고 있는 것 같았다. 얼굴은 푸석푸석! 몸은 삐걱삐걱! 얼굴은 윤기가 흐르지 않았고, 몸의 모든 관절은 삐거덕거렸다. 나무 인형으로 처음 걷게 된 피노키오의 몸이 이렇지 않았을까? 라는 생각이 들었다. 내 몸은 이제 더는 여자가 아닌 듯했다.

아침에 일어나면 온몸이 아파지고, 저녁이 되면 특정한 시간마다 더워져서 겨울에도 손 선풍기를 들고 생활했다. 면역력이 약해져 감기, 코로나, 방광염 등에 자주 걸렸다. 불면증에 걸려 잠이 쉽게 들지도 않았다. 나의 감정은 하루에도 몇 번씩 널을 뛰어서, 아주 기분이 좋았다가도 금방 내가 이런 사람이었나 라는 자괴감이 몰려왔다.

이런 몸으로 사느니 차라리 죽는 게 낫겠다 싶은 우울증도 찾아왔다. 점점 외출이 싫고, 집에 혼자 있는 것이 좋았다. 내 집은 대로변에서 다소 떨어져 있어서 나는 외딴섬에 홀로 있는 느낌도 들었다. 상태가 심각해 보였는지, 의사 선생님뿐만 아니라 지인들로부터도 호르몬제를 처방받으라는 권유를 들었다. 그들이 보기에도 내가 조금은 위험하고 불편하게 느껴지는 것 같았다.

나도 호르몬제를 복용하고 싶었다. 호르몬제를 복용하면 예전의 나로 돌아가 이런 불편한 것들도 사라지고, 다시 여자로 살 수 있을 것만 같았기 때문이다. 그러나 호르몬제에 관해 전해지는 속설이 있는데, 그것은 호르몬제를 복용하면 체내에 여성 호르몬이 많아져 유방암에 걸릴 수 있다는 것이다.

그 속설이 나는 무서웠다. 또 호르몬제를 먹으면 예방 차원으로 자주 유방암 검사를 해야 한다는데, 나는 그렇게 부지런하지도 않아서 열심히 검사에 임할 자신이 없었다. 결국, 나는 호르몬제 처방을 받지 못했다.

약이 아니라면 다음으로 생각난 것은 역시 운동이었다. 나는 아저씨다운 나의 몸을 이겨내고 상쾌하게 살아보고 싶었기 때문에 적극적으로 운동을 찾았다. 이번에야말로 정말 나를 살리기 위해서였다. 내가 세 번째로 선택한 운동은 줌바 댄스였다.

줌바 댄스는 라틴 댄스에 에어로빅의 요소를 결합한 운동법으로, 전신을 격렬하게 사용하는 동작들이 많아 다이어트에 효과적인 운동으로 알려져 있다. 따라서, 줌바 댄스는 전에 경험했던 에어로빅과 비슷할 것 같았다. 그래도 처음 접해 보니, 일일 체험을 해보는 게 좋을 것 같아 가벼운 마음으로 줌바 댄스학원으로 향했다. 그런데, 놀랍게도 줌바 댄스와 나의 첫 만남은 '강렬함' 그 자체였다.

내가 줌바 댄스학원에 첫발을 들였을 때, 실내는 약간 어두컴컴하고 양쪽 벽에는 사이키 조명이 돌아가고 있었다. 어둡고 반짝이는 불빛 때문에 나는 상당히 정신이 없었다. 그때, 갑자기 강렬한 라틴 댄스 음악의 리듬이 내 고막을 때렸다. 그것은 순식간에 나를 사로잡았다.

쿵! 쿵! 쿵! 쿵! 그 강렬한 비트가 내 심장을 연신 강타하며 심장을 요동치게 했다. 그 '심쿵'에 홀린 듯 내 몸도 따라 들썩거렸다. 나는 마치 벼락 맞은 여자처럼 벌떡 일어나 뒤에서 따라 추게 되었다. 그건 잘 추고 못 추고의 문제가 아니었다. 강한 이끌림이었다.

조용히 앉아서 보기만 하려고 했는데, 내 심장이 나를 가만두질 않았다. 굳이 거창한 양자물리학을 들먹이지 않아도, 내 심장의 파동과 댄스 음악의 파동이 맞아떨어진 것이 분명했다.

진정 '미혹'이란 것이 있다면 이런 것이 아닐까? 나는 한순간에 빠져들었고, 그 순간 심취했다. 그때는 몰랐다. 내가 끝이 보이지 않는 줌바 댄스의 매력 속으로 한없이 빠져들게 되리라는 것을…….

그 미혹의 아름다운 시간이 끝난 후, 나는 망설임 없이 바로 등록을 마쳤다. 그러자, 앞으로 추게 될 댄스 동작에 대한 걱정이 밀려들었다. 홀려서 춤을 따라 추긴 했지만, 줌바 댄스는 처음이니 나로선 당연하였다. 원장선생님께서는 동작은 안 외워도 되고, 집중해서 잘 따라 하기만 하면 된다고 하셨다. 암기를 안 해도 된다는 그 점이 특별히 마음에 들었다.

한 달, 두 달, 시간은 지나가고, 댄스 동작이 몸에 익어 점점 재미있어졌다. 그 당시의 나는 몸이 삐거덕거리는 갑옷 병정 같아서 내 몸을 다칠까 봐 근육을 많이 사용하지 못했다. 그렇지만, 신나는 음악과 함께 구호를 외치고, 즐겁게 춤을 출 때면 스트레스가 저절로 풀렸다.

줌바 댄스의 매력은 라틴 음악의 강렬한 리듬과 재미있고 역동적인 춤동작에 있다고 생각한다. 그 동작들은 우리를 때로 섹시하게, 도도하게, 발랄하게, 활력 있게 그리고 미소 짓게 만들어 준다.

찌뿌둥한 기분으로 왔던 사람도 춤을 추다가 어떤 음악과 동작에 꽂히게 되면 그때부터는 하늘에 붕 떠 있는 기분으로 변화된다. 벅찬 충만감으로 한껏 날아오를 것 같다.

나에게도 좋아하는 두 가지 댄스 동작이 있다.

첫째는 원을 한 바퀴 빙그르르 돌 때이다. 나는 원을 돌 때 말할 수 없는 자유와 행복감을 느낀다. 내가 어디서 맨정신으로 음악을 들으며 이렇게 돌 수 있단 말인가?

둘째는 앞으로 발차기하는 동작이다. 발차기를 휙 내질렀을 때 나는 내 앞에 나를 막고 있는 높은 벽을 깨부수는 것 같은 느낌이 든다. 스트레스 타파! 나의 꼰대 기질 타파! 갱년기 우울증 타파! 불통 타파! 스스로 느끼는 한계성 타파! 자포자기하고 싶은 마음 타파! 내가 쌓아 올린 부정적인 벽을 타파하며 나는 힘차게 춤을 춘다.

이제 줌바 댄스를 한 지도 2년이 되어 간다. 올해 들어 나의 춤동작들이 커졌다. 근육의 운동 범위가 커진 것이다. 지난해까지 근육들이 다칠까 봐 몸을 작게 움직이고 있었는데, 어느새 몸동작이 커져 있었다. 삐거덕거리던 내 뼈들이 자리를 잡아가고 있는 것이라고 예상하니 기분이 좋다.

춤을 추며 활짝 웃는 나의 미소는 푸석푸석했던 나의 얼굴을 커버해 주었고, 커진 춤동작은 삐걱대던 나의 몸을 부드럽게 해 주었다.

우울해 보였던 표정이 너무 환하게 바뀌었다는 동료 회원들의 말도 들려온다. 호르몬제의 도움 없이도 줌바 댄스가 나를 활기차게 살아가게 한 것이다.

서울 아산병원 노년 내과 정희원 교수님은 치매 예방을 위해서 첫째는 소통하는 사회 활동, 둘째는 적절한 근육 운동, 셋째는 뇌 근육 단련에 힘써야 한다고 말씀하셨다. 줌바 댄스는 이 세 가지를 모두 만족시키는 훌륭한 운동이라 할 수 있겠다. 나의 경험을 토대로 이 주장을 뒷받침해 보고자 한다.

첫 번째 소통하는 사회 활동에 대해서이다. 줌바 댄스는 매일 회원들이 모여 얼굴을 보고 친목을 다지며 춤을 추기 때문에 소통이 자연스럽게 되고 있다. 혼자 외롭게 자신과 싸워가며 하는 운동이 아니다. 눈에 보이진 않지만, 서로를 의지하고 격려하며 춤을 추어서 모두의 에너지로 즐겁게 하는 운동이라 할 수 있겠다.

운동 후에는 맛있는 음식도 가지고 와서 함께 먹고, 발렌타인 데이 같은 날에는 초콜릿도 선물 받는다. 이곳에는 서로 주고받는 나눔과 소소한 기쁨, 감동이 있다. 이런저런 사는 얘기도 나누고, 궁금한 것도 물어보고, 정보도 얻고, 한마디로 이곳은 동네 사랑방 같은 장소이다. 때때로 나는 멀리 있는 친척보다 매일 만나는 줌바 댄스 학원의 회원들이 더 가깝게 느껴질 때가 있다.

둘째는 적절한 근육 운동이다. 줌바 댄스는 다른 댄스들처럼 화려한 기술을 요구하는 동작보다는 단순 반복 동작이 많은 편이기 때문에, 부상의 위험이 적어 갱년기 여성들이 하기에 최적의 운동이라 할 수 있겠다.

과격하지 않은 줌바 댄스의 동작들이 눈에 띄지 않는 소근육에 자극을 주어 몸의 라인을 예쁘게 만들어 준다고 한다. 또한, 상체와 하체를 골고루 움직여 주는 전신운동이니 한쪽을 더 운동해야 하지 않을까? 하는 그런 걱정도 할 필요가 없다. 음악에 맞춰서 전후좌우, 위아래 계속 몸을 움직이다 보면 많은 운동량에 땀이 비 오듯 한다.

세 번째는 뇌 근육 단련이다. 줌바 댄스를 하려면 집중해서 따라춰야 하므로 뇌를 사용해야 한다. 여러 감각과 운동 근육을 동시에 적절하게 사용하려면 뇌는 당연히 활발히 작용해야 할 것이다. 보통 처음 오시는 분들이 이런 걱정을 많이들 한다.

"나는 처음 해서 너무 못하면 사람들이 모두 날 쳐다볼 텐데 어쩌죠?"

난 그들에게 그런 걱정일랑 접어두시라 얘기하고 싶다. 우리의 뇌는 지금 선생님 동작을 따라잡느라, 그리고 내가 잘 따라가고 있는지에 집중하느라 남의 동작을 볼 겨를이 없다. 그러니 줌바 댄스를 배우는데 조금은 정신이 없고 좌절감이 들어도, 한 달만 참고 다녀보자. 어느 순간 줌바 댄스를 즐기는 나 자신을 발견하게 될 것이다. 그리고 함께하는 사람들의 백만 불짜리 미소를 보게 될 것이다.

위의 사실에 근거해 볼 때 줌바 댄스는 치매 예방에 아주 효과적이라 말할 수 있겠다. 내가 다니는 줌바 댄스 학원에는 5세에서 60대까지 연령대가 고르게 분포되어 있는데, 나와 같은 5, 60대분들이 꽤 있다. 다들 건강을 위해 열심히 하고 있어서 서로 자극이 되고 격려가 된다.

족저근막염이 있는 나는 40대 이후로 달려 보질 못했다. 걷는 것도 조금만 걸으면 "아! 너무 힘들다!"라는 말을 연발해서 같이 걷는 사람들에게 미안할 지경이었다. 또 그동안 줌바 댄스 학원까지는 왜 이렇게 멀게 느껴지는지, 대로변에서 멀리 떨어져 있는 집에 이사를 왔다고 남편에게 화도 여러 번 냈다.

그런데, 요즘 나는 줌바 댄스 학원까지 룰루랄라 흥얼거리며 뛰어가고 있다. 집에서는 남편 앞에서 그날 배운 재미있는 춤동작도 해 본다. 그러면 남편은 후환이 두려운지 항상 "잘한다. 잘한다. 잘한다."라고 폭풍 칭찬해준다. 누가 믿거나 말거나, 나는 전적으로 믿으면서 오늘도 줌바 댄스 학원으로 뛰어간다.

이제야말로 나는 시간을 소비하기 위해서가 아니라 즐거워서, 그리고 건강해지기 위해서, 나에게 맞는 최적의 운동을 하는 것으로 생각한다. 갱년기에 찾은 이 보석 같은 시간이 참으로 귀하고 감사하다.

나는 이제 줌바 댄스도 나의 평생 친구로 삼고 싶다. 앞에 두 친구는 어쩔 수 없이 내 친구로 맞았지만, 줌바 댄스는 내 의지적

결단으로 맞는 친구이다. 나의 세 번째 친구가 오래도록 내 곁에 있어 주었으면 좋겠다.

앞으로 더 많은 사람에게 줌바 댄스가 홍보되고 알려져서, 줌바 댄스의 세계로 함께 신나게 날아오르고 싶다.

마지막으로, 줌바 댄스 학원에서 자주 울려 퍼지는 제시 제이(Jessie J)의 프라이스 태그(Price Tag)의 세 소절로 이 글을 마무리하려 한다.

When music made us all UNITE
(음악이 우릴 모두 하나가 되게 할 때)
We just wanna make the world dance
(우린 그저 세상이 춤추게 하길 원해)
Forget about the Price Tag
(가격표는 잊어버려)

장미화

교육학석사(평생교육사), 역사전공, 영어영문학 전공 ,
화성시 그린농업기술대학, 초 중 고 방과 후, 도서관, 문화 센타,
복지관, 역사탐방강사, 학교폭력예방강사, 효 인성 지도강사,
화성문화원 방문교사 그 외 다수.
해피멘토 협동조합 이사, 전) 해피드림 작은 도서관 관장,
역사 해설사, 전)화성시 시티투어 안내자,
화성시 국가 지질공원 해설사
경기도 효행과 효 사상(공저)

80세까지 일해도 될까요?

"나를 키운 건 8할이 바람이었다."
-서정주 시인의 시 자화상 中-

나는 사주에 금(金)이 많대

어느 날 친한 언니가 이렇게 말했다.

"자기는 사주에 금이 많아."

언니는 사주에 관심이 많아서 문화센터에서 명리학을 오랫동안 배워서 전문가가 되었는데, 나에게 사주에 금이 많다고 하였다. 자기는 화(火) 불의 기운이 많아서 나와 잘 맞는다고 하였다.

나는 사주는 잘 모르지만, 언니는 외모도 화려하고 가꾸는 것도 좋아하고 언변도 훌륭해서 화가 많다는 것이 성격상 이해가 되기도 하였다. 그에 반해 나는 금이 많다는 것의 뜻은 단단해서 변치 않고, 의지가 굳고, 꾸준함 등 나의 이런 성격을 뜻한다고 나름대로 생각하고 있었다.

또 생각해 보면 주변 친구들이나 지인들이 나름 성격이 활발하고 재주도 많고 사교성도 있고 다들 말도 잘 해서 화려함이 있었다. 그래서 나와 맞아서 주변에 그런 사람들이 많나? 하고 생각해 보기도 하였다.

이번 글을 쓰면서 도대체 사주에 금이 많다니 정확히 무슨 뜻일까를 검색해 보았다.

"금이 많은 사주를 가진 사람들은 진정한 집념과 결단력을 가지고 있습니다. 업무나 목표를 향해 끝까지 노력하는 습관이 있으며, 그 노력에는 다양한 일거리를 즐기는 열정이 뒷받침됩니다. 또한 이들은 뛰어난 리더십을 발휘하여 독립적이지만 리더로서 해야 할 역할을 제대로 수행합니다. 강한 원칙, 사람과의 관계 그리고 정리정돈에 높은 가치를 둡니다.

그들은 냉정하고, 지적인 성향을 보여, 상황판단과 문제 해결 능력이 뛰어납니다. 하지만 이러한 강한 성향 뒤에는 책임감이 깊게 숨어 있습니다. 맡은 일에 대한 책임을 완수하는 모습은 주변 사람들에게 믿음을 주는 데 일조합니다." 이렇게 검색해 놓고 보니 썩 나쁜 사주는 아닌 듯하여서 마음속으로 웃음이 나왔다.

반면에 고집 세고 융통성이 없고 등등의 단점도 검색으로 찾게 되었는데 그런 것은 눈에 안 들어오고 장점만 가슴속에 남는다. 나는 기독교인이다. 집안도 미신 믿고 굿하고 점쟁이 찾아다니는 성향이 아니어서 연애할 때 유원지에서 재미로 궁합 본 것 외에는 점도 본 적이 없었다.

그런 내가 40줄에 아버지 폐암 판정 받으시고 3개월 만에 돌아가시고, 친정집 가세가 기울고, 아버지 대부분의 재산과 가업을 이어받은 오빠가 보증을 잘못 서서 파산하고 난 뒤에 갑갑한 마음에 점집을 몇 번 가 본 것 외에는 금이 많은지, 수가 많은지, 어쩌고 저쩌고 뭐라 해도 도통 이해가 가지 않은 문외한인데 이런 얘기를 쓰고 있다니 아이러니하기도 하다.

누가 뭐라 해도 자기 좋은 소리만 귓가에 남는 법. 암튼 나는 집념과 결단력 열정이 있는 사람이라니까!

학생 때 이렇게 공부했으면 서울대에 갔을 텐데

나는 역사전공이다. 딱히 집안이 어려운 것 도 아니어서 장래 돈벌이를 위해서 알맞은 학과를 선택할 필요도 없었다. 그래서 관심 있고 성적도 들어갈 만해서 역사 전공을 선택했다.

우리 시대에는 학생이 그렇게 아르바이트하는 시대가 아니었다. '나만 그랬나?' 하는 생각이 들긴 하지만. 한번은 아르바이트할 기회가 있어서 아버지께 상의드렸더니 "학생이 공부해야지 뭐 돈 벌러 다닌다고 하니?"라며 반대하셨다.

아버지가 나를 애지중지 귀하게 생각해서 그런 것이 아니고 그냥 고지식한 시골 부자 눈에는 여자가 돈 벌러 다닌다고 밖에 다니는 것을 안 좋게 생각했을 뿐이었을 것이다.

그래서 대학 졸업 후 3년 정도 작은 회사에서 비서로 근무하고 결혼을 핑계로 회사를 그만두고 전업주부로서 생활하게 되었다. 회사를 그만두고 나서는 운전면허를 따거나 놀러 다니면서 결혼을 준비하였다. 남편도 꼭 맞벌이를 하자고 하지 않았다. 당시에는 그렇게 여자들이 적극적으로 맞벌이를 하지 않았고 전문직 아니면 일자리도 많지 않았다.

결혼하고 세월이 흐르고 아들 둘을 두었는데 아파트 입주하고 대출금도 생기고 하니 돈벌이가 필요했다. 막내가 초2 정도 되니까 학교에서 점심을 먹고 왔다. 이제 아이 기다려서 점심 먹일 걱정이 없어져서 그때부터 나가서 일하게 되었다. 전문적인 자격증도 가진 것이 아니어서 손쉬운 일부터 시작했다.

나는 1남 5녀 중 다섯째였다. 너무 흔한 딸 중에 넷째 딸 이었기에 집안에서 귀한 사랑 받는 딸도 아니었고, 시골 부자인 아버지가 일찍부터 집에서 1시간 거리의 도회지에 집을 얻어서 초등학교 1학년 때부터 부모님 없는 우리들만의 생활하고 있었다.

부모님은 일주일 만에 한 번씩 오시거나 엄마가 같이 계시기도 했다. 위로 언니 오빠들이 나이 차이가 있어서 생활을 돌보아 주었고 식모도 있었다. 아무튼 나름 부모님의 간섭 없이 자유로운 생활을 하고 있었다. 간섭을 싫어하고 내 맘대로 하는 성격은 원래 성향도 있겠지만 이러한 사정들로 인해서 형성된 것일 수도 있겠다.
어렸을 때부터 어른들과 같이 살지 않아서 나는 어른들 특히 남자 어른들과 대화를 나누는 것이 쑥스럽고, 다가가기 어려웠다.

나의 친구들은 어렸을 때부터 부모님께 사랑받고 친밀하게 지내서인지 버스나 열차를 타도 스스럼없이 옆자리의 어르신과 대화도 나누고 사교적으로 행동하는 것이 퍽이나 부러웠다. 이러한 점은 나중에 사회생활을 할 때 대인관계에 어려움으로 다가오기도 했다.

이러한 얘기를 장황스럽게 하는 이유는 나중에 집안이 기울어서 모두 생활전선에 뛰어들어 돈을 벌게 되었는데, 언니들과 모여 이야기한 결과로는 우리가 '경제관념'이 있고 '탄탄한 직업'을 선택할 수 있는 공부를 해야 했다는 반성에서 나온 한탄이다. 나도 학교 선생님이나 공무원 은행원 등 탄탄한 직업을 가지지 못한 것을 후회해 본다. 이렇게 나의 평생 프리랜서 인생이 펼쳐진 것이다.

처음에는 이것저것 아르바이트하다가 본격적으로 아이들을 가르치게 되었다. 주변에서 대학 졸업도 했으니, 집에서 과외라도 해보라고 하였다. 그러나 나의 성격상 용납이 되지 않았다. 학생을 가르치는 게 얼마나 중요한 일인데 그냥 시작하다니 하며, 어떤 공부와 자격이 아니고서는 할 수 없을 것으로 생각했다.

그래서 적당한 업체에서 다시 교육과 자격증을 받고 나서야 본격적으로 학생들을 가르치기 시작했다. 항상 나중에 곰곰이 생각해 보는 편인데, 내가 그렇게 생각했던 이유는, 그저 부딪치면서 시작해 보면 쉬운데 용기가 없어서 이런저런 핑계를 댄 것일 수도 있겠다고 생각이 되었다. 이때부터 나의 학업 생활이 다시 시작되게 되었다.

나는 학업성적이 그리 나쁘지 않았다. 공부도 그럭저럭 상위권이었다. 하지만 소위 말하는 수재는 아니었다. 항상 그 언저리였다. 명석함과 예리함이 없었다. 그러던 내가 학생을 가르치는 직업을 가지게 되면서 이것저것 필요한 공부를 시작했다.

판검사 되려는 공부가 아니었기 때문에 어렵지는 않고 재미있었다. 역사 탐방, 논술, 전래놀이, 미술치료 등 그때그때 필요한 공부를 해서 자격증을 취득했다. 이력서에 쓰는 난이 길어지기 시작했다. 그 외에도 문화센터, 방과 후, 도서관에서 강의를 진행했으며 바쁘게 생활했다.

아마 교사나 의사나 등의 내세울 수 있는 직업이면 이런 자격증이 필요 없었을 것이다. 하지만 난 그런 직업이 없으니 나름대로 노력해야 했다. 한 우물만 파서는 성공할 수 없다고 생각했다. 그리고 나의 성향은 하나만 꾸준히 해서 결과를 보는 성향이 아니었고 여러 관심 분야가 있어서 다 해보고자 하는 욕심이 있었다.

사람은 성격 따라간다고 하지 않나. 타고난 성향인 것 같다. 집에 있는 성향이 아닌 것이다. 몇 달 일없이 집에 있다 보면 좀이 쑤셔서 '어디 문화센터라도 등록해서 배우러 다녀 볼까?'

하고 알아보고 다녔다.

열정이 있다는 것은 좋은 일인 것 같다. 끊임없이 배우고 일을 만들고, 사람들을 만나고 하면서 힘을 얻는다. 물론 많은 사람을 만나게 되면 인간관계에 지치고 실망하고 상처받는 일도 있다. 그럼 또 나름의 치유 기간도 갖는다. 나 자신을 반성해 보기도 한다.

또 내 성격의 좋은 점은 느긋하기도 하지만 잘 잊어버린다는 것이다. 다는 아니지만 미움이 오래가지는 않는다. 덤벙대고 급하고 찬찬하지 못해서 치매 올까 봐 걱정이라고 하면, 같이 사는 막내아들이 "엄만 이미 치매 끼가 온 지 오래인데 무슨 걱정이야."고 하면서 애정 어린 타박을 한다.

남편은 꼼꼼하고 기억력도 정확한 사람이다. 나는 연애할 때 항상 공중전화를 쓰면 거기다가 지갑을 놓고 온다던가, 우산은 한번 들고 나가면 꼭 잃어버리고 그냥 오곤 했다. 남편은 나의 이러한 성향을 보완해 주는 사람이다. 그래서 결혼을 결심한 이유도 있다. 그래도 성격은 무던해서 나를 잘 견디며 살고 있다.

최근에 평생 교육학 석사과정을 마치고 학위를 취득했다. 주변에 있는 지인이 같이 대학원에 가자고 권유하기도 했지만, 석사라는 학위를 가지고 있는 것도 나의 경력에 나쁘지는 않을 것 같아서 과감히 도전했다. 또 최근에는 유해물 중독 예방단체에서 교육받기도 하였다.

나는 지금도 공부하고 도전하고 있다. 원래 학부 전공은 역사이고 방송통신대에서는 영어영문학과를 졸업했고 대학원에서는 평생교육학을 전공했고 또 화성시의 그린 농업대학 1년 과정의 원예학과를 졸업하기도 했다. 그 외에 여러 가지 자격증을 가지고 있다.

주변의 같은 길을 걷는 선생님들과도 농담처럼 이야기하기도 한다.

"진작 이렇게 공부했으면 서울대 갔을 텐데"

물론 진짜로 그 어려운 서울대를 갈 수 있다는 뜻은 아니지만 그만큼의 열의로 공부했다는 뜻이다.

글쓰기는 나를 돌아보는 시간인 것 같다. 글을 쓰면서 '나도 참 열심히 살았구나.' 했다. 나름 뿌듯하다. 나의 나이는 이제 환갑이 지났다. 강의를 더 할 수 있는 시간도 몇 년 안 남았다고 생각한다. 마음은 늙지 않는다는 말이 있다.

실제로 나는 호기심도 많고 각종 미디어와 유튜브 뉴스 등을 섭렵하면서 나름 젊은 사람들의 트렌드를 내 나이 또래의 사람들보다 더 잘 알고, 대화도 통한다고 생각한다. 물론 나만의 생각이겠지만. 나이 먹어도 뭐든 다 잘할 수 있다고 생각하지만, 사회적인 연령이 있다고 생각한다. 어느 정도는 다른 분께 누를 끼치지 않게 물러서는 것도 필요하다.

그래서 나는 미리 나이 먹어도 누추하지 않게 직업을 영위하며 사회적인 활동할 수 있도록 몇 가지는 미리 준비하였다.

인생의 마지막은 해설사로 마치겠어요

나는 화성시의 지질해설사이다. 이런 직업은 젊은 분도 계시지만 70대가 되어도 할 수 있고 노련함이 배가되는 일인 것이다. 처음에는 화성시의 시티투어 안내자가 되어서 화성시의 전반적인 것을 배웠다. 그러다가 이제는 지질해설사만을 하고 있다.

지금은 다른 강의 일도 있고 해서 복잡하지만 다른 일은 줄여도 지질해설사만큼은 나이 들어서도 하려고 한다. 이런 종류의 일은 문화해설사도 마찬가지이지만 봉사개념의 일이다. 약간의 수입이 있지만 좋아서 사명감과 봉사 정신으로 한다.

나는 태어난 곳은 충청도이지만 한 살 정도에 부모님께서 강원도로 이주하셔서 강원도 춘천이 고향이다. 초등학교부터 중, 고 대학교까지 춘천에서 다녔다. 그러다가 대학 졸업 후 서울에서 3년 정도 직장생활하고 남편과 결혼하고 경기도에 정착하였다. 제일 오래 산 곳은 수원이었고 아이들의 고향도 수원이다.

이후, 화성시에 이사 와서 10년이 되었는데 이곳에서 오히려 활발한 사회생활의 꽃이 피었다. 화성시는 인구 유입이 많고 발전하는 도시다. 시부모님과는 결혼하고 나서 몇 년 후에 합가하게 되었다.

초등학교 교장으로 퇴임하신 시아버지께서 중풍으로 몸져누우시게 되면서, 시어머니께서 혼자 돌보기가 힘들다고 하셔서 같이 모시게 되었다. 시아버지께서는 오랫동안 병석에 계셨는데 나중에는 요양병원에 입원하신 후에 돌아가셨다.

그 후에 시어머니께서는 학교 선생님이던 시누이가 늦둥이를 낳게 되면서 시누이 집으로 옮기셨다. 10여 년 후에 시어머니께서 다시 우리 집으로 돌아오시게 되면서 우리는 조금 큰 집을 찾아 화성시로 이사를 오게 된 것이었다.

이런 이유로 화성시로 이사를 왔다. 그런데 화성시로 이사 오면서 여러 다른 기회가 더 많아졌다. 이런 면에서 화성시는 일도 잘 풀리고 노후에도 살고 싶고 정착하고 싶은 도시가 되었다.

특히 화성시의 많은 일을 하게 되면서 지질해설사의 일까지 미래를 염두에 두고 하고 있다. 이러다 보니까 더 다른 곳으로의 이사는 힘들 것이다. 결혼한 아들도 근처에 살고 있다.

화성시는 자연환경이 좋다. 내륙에도 문화재와 가 볼 만한 곳도 많다. 융 건릉, 용주사, 수목원, 당성 등이다. 넓은 지역이 바닷가를 접하고 있어서 제부도, 국화도 등 섬과 항구도 있다. 특히 서해안의 갯벌에는 각종 조개류와 고동, 가재, 게 등이 서식하고 있으며 철새들의 보금자리이기도 하다. 철새 탐조도 빼놓을 수 없는 즐거움이다.

거기에 더해서 2024년 올해에 화성 지질공원이 국가지질공원으로 인정받으면서 관람객의 수도 늘어나고 화성시를 알리는 데 도움이 될 것이다. 암석의 종류, 고생대, 중생대, 신생대, 공룡, 갯벌, 단층, 절리, 화산, 화석. 왜 이렇게 배우면 배울수록 재미있는지. 나의 배움은 끝이 없을 것이다.

열정과 꾸준함으로 살아온 나이기에 오늘도 만족하며 나아간다. 더 나은 어른이 되기 위해. 나의 아이디 '바람 따라 장 선생'처럼 자유롭게!

"나를 키운 건 8할이 바람이었다." 서정주 시인, -자화상 중-

한혜원

교육학 전공, 국어국문학 전공
현 고등학교 교사로 재직 중

당신의 인생은 안녕하십니까?

"매일 행복할 순 없지만, 행복한 것들은 매일 있어."
-영화 '곰돌이 푸' 中-

운이 좋은 아이

사랑하는 내 아이가 세상에 태어나 첫걸음마를 하는 시기는 모든 부모에게 감동적인 순간일 것이다. 나의 부모님은 아주 오랜 기다림 끝에 이 감동적인 순간을 맞을 수 있었다. 나는 세상에 태어나고 다섯 살이 되어서야, 첫걸음마에 성공했다. 부모님께서는 남들 다 걷는 시기가 한참이 지났는데도 걷지 못하는 내가 걱정되었고, 나를 데리고 여러 번 병원에 가서 검사받았다고 한다.

다행스럽게도 병원에서는 건강에 별다른 이상이 없다고 하였고, 부모님께서는 그 시기의 나를 키우면서 걱정이 많았다고 하셨다. 그렇게 긴 시간 동안 부모님께 걱정을 끼쳤던 나는 내 또래 아이들이 한창 뛰어다닐 나이가 되어서야 드디어 첫걸음을 걸었고, 부모님께서는 비로소 안도할 수 있었다고 하셨다.

'타고났다'라는 말은 우리 주변에서 흔하게 쓰이는 말이다. 어떠한 능력이나 성향을 태어날 때부터 지니고 태어난 것을 사람들은 '타고났다'라고 말한다. 첫걸음마를 한 시기를 가만히 생각해 보면 태어날 때 이미 겁이 많은 기질과 새로운 시도를 두려워하는 성향, 다분히 의존적인 태도를 타고났다는 생각이 들었다.

다섯 살의 어린 나는 첫걸음을 걷다가 행여 넘어질까 두려웠을 것이며, 넘어지면 아플 것을 염려하며 긴 시간을 고민하고 또 고민했을 것이다. 그러다가 인생에 있어 낼 수 있는 최대치의 용기를 내어 조심스럽게 첫발을 내디뎠을 것이라 짐작이 되었다. 물론 그 일화를 듣고는 부모님께서 걷지 못하는 나를 바라보시며 얼마나 걱정하셨을까 죄송스럽기도 했지만, 한편으로는 큰 용기 내어 첫걸음을 떼준 다섯 살의 나에게 대견스러움을 느꼈다.

첫걸음까지가 그렇게까지 힘들었던 나였으니 당연히 인생을 살아가면서 쉬운 일은 하나도 없었다. 보통 다른 사람들에게는 아무 일도 아닌 일을 해내기 위해서 나는 유독 큰 용기가 필요했고, 두려움을 극복해야 해낼 수 있는 경우가 비일비재했다.

부모님께서는 어린 시절의 나를 지켜보며 이러한 기질과 성향을 잘 파악하셨고, 앞으로 인생을 조금 더 쉽게 살았으면 하는 바람에서 나의 기질과 성향을 바꾸기 위한 다양한 시도를 하셨다.

가령 연설 학원 보내기, 학창 시절 각종 행사에서 진행자를 맡도록 유도하기, 학급 반장 출마 시키기 등 여러 방면으로 애쓰셨고,

나 또한 주어진 것은 성실하게 해내는 성향을 바탕으로 착실하게 부모님의 노력에 따랐다. 하지만 이러한 노력에도 불구하고 안타깝게도 태어날 때 타고난 나의 기질과 성향은 그대로 유지되었고, 지금 또한 유지되고 있다.

타고난 나의 기질로 이 험난한 인생을 살아가야 하는 건 생각보다 가혹한 일이었다. 특히나 경쟁 구도가 본격화되는 학창 시절, 폭넓은 인간관계를 맺는 대학생 시절, 새로운 경험을 하는 사회 초년생 시절을 보내면서 좌절하고 상처받는 일은 많을 수밖에 없었다.

하지만 나는 정말 운이 좋았다. 타고난 성향 탓에 남들보다 인생이 힘들다고 느낄 수 있었지만, 인생에서 꼭 필요한 타이밍에 상황을 해결할 수 있는 귀인을 번번이 만난 덕분에 인생이 생각보다 쉽게, 그리고 좋은 방향으로 잘 흘러갔다.

나에게는 세 살 터울의 친언니가 있다. 어느 상황에서도 기죽지 않았으며, 타인으로부터의 평가는 전혀 개의치 않는 자기중심적 성향이 강한 사람이다. 언니는 늘 겁이 많고 내향적인 나에게 있어 부러움의 대상이자 정신적으로 의지할 수 있는 대상이었다. 생각이 많고 다른 사람을 필요 이상으로 의식하는 아이였던 나는 다른 사람들에게는 별것도 아닌 일에 신경을 쓰고, 또 괴로워했다.

그럴 때면 언니는 단순하면서도 명쾌한 논리로 내 걱정과 고민을 해결해 주곤 했다. 또한 내가 직접 해결할 수 없는 일이라면 언니가 나서서 문제를 해결해 주는 등 나에게 든든한 방패가 되어

주었다. 언니가 곁에 있어서 나의 나약한 정신이 조금은 단단해질 수 있었고, 인생을 살 때 직면하는 크고 작은 문제에 대한 두려움을 없앨 수 있었다.

사회에 나와서도 내 인생에 끊임없는 귀인들이 등장했다. 첫 직장이 외지라서 막막한 상황에서, 자가용이 없었던 나에게 선뜻 자신의 차로 출퇴근을 함께 하자고 제안해 주고, 그 직장에서 근무하는 기간 내내 출퇴근을 함께 했던 직장 선배가 있었다. 그 선배는 출퇴근뿐만 아니라 첫 직장에 잘 적응할 수 있도록 살뜰하게도 잘 챙겨주었고, 덕분에 행복한 직장 생활을 할 수 있었다.

이후 다른 직장에서 근무할 때, 빈틈이 많은 나를 동생 챙기듯 세심하게 잘 챙겨주는 선배들을 만났고, 나의 버팀목이 되었다. 좋은 사람을 만난다는 것이 대단한 운이라고 느껴졌다. 이러한 따뜻한 경험으로 인해 나도 자가용이 없는 직장 후배의 출퇴근을 챙기게 하는 마음의 여유가 생겼고, 주변에 내 도움이 필요한지를 살피고 잘 챙기게 되었다. 결국 내 인생에서 만난 귀인으로 인해 어쩌면 나 또한 누군가에게 있어 귀인이 될 소중한 기회를 얻게 된 것이다.

내 인생에 수많은 귀인이 있으며 스스로 대단히 운이 좋은 사람이라고 절대적으로 체감한 순간은 바로 교통사고가 났을 때이다. 처음으로 차를 사고 운전이 서툴렀던 시절에 경미한 교통사고가 난 적이 있다. 운전한 지 얼마 되지 않아 운전이 미숙했고, 처음으로 교통사고 상황을 맞닥뜨려 어떻게 사고 처리를 해야 할지 몰라서 몹시 당황했다.

그 순간에 아버지께서 바로 사고 현장에 나타나더니 놀란 나를 진정시키고, 사고 상황을 정리해 주셨다. 이후 아버지께 상황을 여쭤보니 아버지께서 운전하며 지나가다가 우연히 사고 현장을 보게 되었는데, 내가 보여 내리셨다고 하셨다.

물론 같은 지역에 거주하고 있었지만, 내가 사고가 난 시점에 아버지가 그 장소를 지나갈 확률은 과연 얼마나 될까? 심지어 두 번째 교통사고가 났을 때도 처음 사고와 마찬가지로 아버지께서 슈퍼맨처럼 등장하여 해결해 주셨으니 나의 운을 믿지 않을 수 없었다.

태어날 때부터 겁이 많고, 새로운 도전에 큰 두려움을 느끼며, 의존적이었다. 노력으로도 쉽게 바꿀 수 없는 타고난 기질과 성향이었다. 하지만 내 인생에서 많은 귀인을 만났고, 덕분에 어려운 상황을 쉽게 해결하면서 인생을 순탄하게 살아갈 수 있었다. 이런 삶을 살다 보니 현재의 나는 주변 사람들에게 감사함과 고마움을 느끼며, 내 삶에 만족하며 살아가고 있다.

지금까지의 내 인생, 감사하게도 정말 운이 좋았다.

아무 일도 일어나지 않은, 안녕한 하루

내가 미취학 아동 시절에 우리 집은 엄청난 대식구였다. 할아버지 밑에서 큰집 식구들과 우리 집 식구들이 함께 한집에서 살았기 때문이다. 큰집 자녀가 둘, 우리 집 자녀가 나를 포함해 셋, 거기에 사정상 맡겨진 고모의 자녀 하나. 무려 한 집에 어린아이가 여섯이나 되는 상황이었다. 큰엄마와 우리 엄마는 한창 손이 많이 갈 시기의 어린아이 여섯을 보살펴야 하는 상황이었고, 아주 어렸을 때지만 어렴풋이 하루하루가 전쟁처럼 정신없었던 기억이 난다.

경제적으로 어려운 상황은 아니었지만, 그렇다고 엄청 여유가 있는 상황도 아니었기에 당시 어렸던 나를 포함한 여섯 명의 아이는 장난감 쟁탈부터 좋아하는 반찬을 사수하기 위해 치열하게 지냈던 기억이 난다. 그 치열한 경쟁에 참여하지 않고, 장난감과 반찬 따위에 연연하지 않은 유일한 아이가 바로 나였다.

그 나이의 아이들에게 먹는 것과 노는 것은 삶의 전부였는데 이 경쟁에서 뒤처지는 나를 보며 부모님은 험한 세상에서 과연 잘 생존할 수 있을까 걱정하셨다고 한다. 그 당시 경쟁에 참여하지 않았던 것은 '장난감이나 좋아하는 반찬이 있으면 좋은 거고, 없으면 어쩔 수 없는 거지'라는 생각을 바탕으로 이루어진 행동들이었다.

어린 내가 어떠한 연유로 갖게 된 생각인지 정확히 알 수는 없으나 이후에도 쭉 이러한 자세로 삶을 살았다. 당연하게도 많은 것을 쟁취하고 누리지는 못했다. 하지만 치열한 경쟁과 소유로 인한 큰 스트레스 없이 지낼 수 있었고, 내 정신 건강에 있어 긍정적인 방향으로 작용했다.

첫걸음을 늦게 떼고, 남매들과의 경쟁에서 늘 밀리며, 자기 것을 잘 챙기지 못하는 아이를 보며 어느 순간 부모님께서는 나에 대한 기대가 자연스레 낮아졌다. 흔히들 이야기하는 부모의 기대로 인한 부담감이 없었기에 내 삶은 편해졌고 나는 오히려 좋았다.

어느 순간 부모님의 소망은 '그저 건강하게만 자라다오'가 되어 있었다. 그렇게 학창 시절을 보내던 중 모두의 예상을 뒤엎고 높은 학업 성취를 보였고, 부모님은 생각지도 못한 나의 면모에 매우 놀라워하시면서 누구보다 기뻐하셨다. 그러던 중 중학교에서 고등학교로 진학할 시기가 되었다.

내가 사는 지역은 비평준화였고, 당시에는 서울 최상위권 대학으로의 진학률이 좋은 고등학교의 기준이 되었다. 그러한 고등학교에 자녀를 진학시키는 것이 부모에게는 큰 자랑거리였다. 하지만 그 무렵 나는 모두가 좋은 고등학교라고 인정하는 학교에 진학할 성적이 충분했음에도 불구하고 은행원이라는 직종에 흥미가 생겨 상업고등학교 입학에 관심을 두고 있었다.

하지만 학업 성취도를 통해 나에 대한 부모님의 기대가 높아진 상황에서 부모님은 내가 대입 진학률이 좋은 인문계 고등학교로 진학하기를 원하셨고, 적극적으로 나를 설득하셨다. 나 또한 상업고등학교에 진학하는 것이 부모님의 뜻을 거스르면서까지 원했던 바는 아니었기에 상업고등학교 진학을 쉽게 포기할 수 있었다.

부모님의 뜻대로 인문계 고등학교에 진학한 이후에도 꾸준히 상위권 성적을 곧잘 유지했다. 나와 비슷한 성적대의 친구들이 서울 주요 대학을 목표로 치열한 삶을 살 때, 나는 내가 거주하는 지역 안에 있는 대학교로 진학해도 만족한다는 생각으로 대입을 준비했다. 운이 잘 따른 덕분에 서울에 있는 주요 대학을 진학하게 되었고, 부모님은 물론이고 나 또한 서울에서 대학 생활을 할 수 있다는 생각에 기쁨을 만끽할 수 있었다.

기쁜 마음 한편으로는 혹시나 대학교에서 실수로 발표가 잘못 났다고 연락이 오지는 않을까 걱정할 정도로 합격 사실이 믿기지 않았다. 진심으로 내가 거주하는 지역의 대학교 진학만으로도 충분하다고 생각했기 때문에 뜻하던 것보다 훨씬 잘 풀렸던 대입 결과를 마주한 순간, 얼떨떨함과 큰 감사함을 느꼈다.

내가 아직 가지지 못한 것을 쟁취하기 위해서, 혹은 나보다 더 잘하는 사람을 부러워하며 사는 삶은 행복하지 않다는 것을 어린 나이에 어렴풋이 느꼈던 것 같다. 그래서 중고등학생 시절에 나보다 더 잘하고 뛰어난 친구들은 있는 그대로 인정했고, 내가 잘하는 것에 주목하며 남들과 비교하지 않으면서 스스로에 대해 만족하며 살았다. 사실 어찌 보면 현실에 안주하고 자신을 위안하는 삶이었지만 적어도 스스로가 불행하고 고통스럽지는 않았다.

대학 진학뿐만 아니라 장래 희망을 구체화할 때도 가족과 주변 친구들 사이에서 가장 많이 들었던 말이 '참, 소박하다', '정말 욕심이 없네'였다. 욕심이 없다는 것이 맞는 표현인지 모르겠으나 나는 이루기 힘든 것을 이루기 위해 많은 에너지를 쏟기보다는 현재 상황에서 내가 성취할 수 있는 작은 것들을 생각하고, 그것들을 성취하며 만족감을 느끼며 살아왔다.

이런 나를 안타깝게 바라보거나 이해하지 못하는 사람들도 많았다. 그들은 만약 내가 처음부터 더 큰 목표와 포부를 가지고 그것을 이루기 위해 치열하게 살았다면, 더 많은 부를 얻어 더욱 안락한 삶을 영위할 수 있었을 것이라 생각했다.

각자가 지향하는 삶의 모습은 모두가 다르다. 그저 자신의 가치관에 맞게 살아갈 때, 인생의 만족도가 높다고 생각한다. 나는 부와 명예로 안락한 삶을 이룬다고 하더라도 그것을 이루기 위한 과정이 정신을 피폐하게 만들 만큼 소모적이고 고통스럽다면 그러한 삶을 추구하고 싶지 않았다. 현재 자신의 상황과 자신에게 주어진 것에 만족하고, 자신이 갖지 못한 것에 연연하지 않는 자세가 평온한 내 삶을 만들었다고 확신했다.

대학교를 서울로 진학하게 되면서 고향을 떠나 서울 생활을 시작했다. 유년 시절을 보낸 나의 고향이 시골은 아니었지만, 처음 경험하는 서울은 놀라운 것도, 새로운 것도 많았다. 부모님을 비롯한 가족들은 안 그래도 사람 말을 쉽게 믿고 똑 부러지지 못한 내가 낯설고 정신없는 환경에서 험한 일은 당하지는 않을까 늘 노심초사였다.

설렘을 안고 시작한 서울살이, 대학교 입학 후 얼마 지나지 않을 때였다. 교양 수업을 듣고 집으로 오는 길에 지하철에서 딱한 사연을 이야기하며 껌을 파는 초라한 행색의 아주머니를 만났다. 나는 기꺼이 한 달 용돈을 아주머니께 기부하였다.

용돈이 부족하게 되어 어쩔 수 없이 부모님께 상황을 말씀드렸고, 상황을 들은 부모님께서는 내가 당한 것이라며 사람들의 동정심을 이용해 불로 소득을 얻는 전형적인 수법이라 알려주셨다. 딱한 건 그 아주머니가 아니라 용돈을 탕진한 나였다. 용돈을 보태어 주시는 부모님의 눈빛에는 걱정이 가득 담겨 있었다.

이 일을 경험하고 얼마 지나지 않아 이러한 현실을 다룬 시사 프로그램을 보게 되었고, 내가 정말 이용당했음을 실감하였다. 다른 사람의 말을 쉽게 믿은 내가 어리석고 한심하게 느껴졌고, 도움을 주고자 했던 좋은 마음이 이용당했다는 것에 상처받았다.

세상 물정을 파악하지 못한 나의 어리숙함이 낳은 안타까운 에피소드였지만 부모님 생각엔 그래도 누군가에게 도움을 주려고 한 그 마음은 그래도 대견스러우셨는지 성인이 된 이후에도 자주 이야기를 꺼내신다. 나 또한 당시 나에게 뼈아픈 경험이었지만 인생에 큰 교훈을 얻고 성장한 대가라고 생각하며 지금은 웃으며 이야기할 수 있다.

때로는 좋은 마음으로 한 행동이 내가 생각한 결과로 돌아오지 않는다. 어려운 상황에 있는 사람들에게 도움을 주려는 선한 마음을 이용하는 나쁜 사람들이 존재함을 배웠다. 그렇지만 좋은 마음으로 행한 행동이 내가 생각한 방향으로 옳게 작용하여 누군가에게 큰 도움이 될 때도 분명히 있다.

행여 좋은 마음이 이용당했다 하더라도 내가 베푼 행동의 좋은 뜻은 사라지지 않는다. 누군가에게 도움을 베풀고자 하는 좋은 마음 자체가 가치 있다고 생각한다. 살다 보니 이러한 선의로 행한 마음과 행동이 쌓이고 쌓여, 결국 나의 인생을 풍요롭게 하며 나를 더 좋은 방향으로 이끈다는 것을 깨달았다.

내 인생이 평온하게 잘 흘러가고 있다는 것, 그리고 어렵고 힘든 순간에 내가 만난 귀인들. 이것이 바로 내가 좋은 마음으로 행한 크고 작은 것들이 쌓여 주어진 인생의 선물이라고 생각한다.

얼마 전 한 예능 프로그램에 전 국가대표 피겨 스케이팅 선수인 김연아 선수가 나온 것을 본 적이 있다. 프로그램의 진행자는 김연아 선수에게 현역 시절 경기 전에 항상 기도하는 것으로 유명하다며 그 기도의 내용에 대해 질문하였다. 나도 김연아 선수의 경기를 늘 애정을 가지고 봤고, 늘 성호경을 그으며 경기장에 들어가는 걸 인상 깊게 보았기에 대답이 궁금하였다.

김연아 선수는 '이 자리에 설 수 있게 해주셔서 감사합니다'라고 기도한다고 대답했다. '금메달 따게 해주세요'나 '1등 하게 해주세요'가 아닌 '경기장에 무사하게 설 수 있게 해주셔서 감사하다.'는 말이 참으로 겸손하게 느껴졌고, 묵직한 감동으로 다가왔다.

목표 지향적으로 인생을 살다 보면, 우리는 목표에 매몰되어 정작 주어진 것에 대한 감사함을 놓치고 산다. 세계적인 운동선수로 살아간다는 것은 다른 직종보다도 더 목표 지향적일 수 있다. 이러한 환경 속에서도 주어진 것에 감사하는 그 마음가짐이 어쩌면 김연아 선수를 세계적으로 인정받는 선수로 만들지 않았을까 생각이 든다.

김연아 선수의 인터뷰가 선명하게 기억나는 이유는 주어진 것에 감사하는 마음가짐에 대한 깊은 공감일 것이다. 인생을 돌아보면 나 또한 늘 주어진 것에 감사하며 살았고, 그것이 지금의 나를 만들었다. 지금 나에게 있어 인생의 큰 성공이나 행운은 중요하지 않다. 그저 주어진 것에 감사하는 삶을 살며, 무탈한 일상을 보내는 것이 인생의 큰 축복이라 생각한다.

오늘 하루 아무 일도 일어나지 않았다면, 그래서 평온하고 무탈했다면, 안녕한 인생이다.

소소한 행복으로 가득찬 일상

일을 마치고 집에 들어오시는 아버지의 손에 들린 갓 튀겨진 바삭바삭한 치킨, 엄마가 해준 노릇노릇한 김치전 냄새, 가족들이 모두 둘러앉아 빚은 만두, 동네 문구점 뽑기에서 1등이 뽑은 순간. 유년 시절 행복했던 순간은 정말 소소한 것들이지만 하나하나 나열하기 어려울 정도로 많다. 누가 알려준 것도 아닌데 나는 유년 시절부터 정말 신기하게도 사소한 것에서 행복을 잘 느꼈다.

중고등학교 시절에 느끼는 소소하지만 확실한 행복은 드라마 보는 것이었다. 우리나라의 교육 환경상 대학 입시를 준비하느라 바쁘고 고단한 일상을 보냈지만, 그 일상을 견딜 수 있게 해준 것이 드라마였다. 스스로 학습해야 할 것들을 정하고, 그것들을 다 끝낸

후 드라마를 보는 시간은 고생한 나에게 주는 달콤한 보상이었다. 그 시간이 치유였고, 다시 힘을 내서 앞으로 나갈 수 있는 원동력이 되었다.

학업 성취도 향상을 위해서도 행복함을 느끼는 소소한 것을 활용하였다. 학업 성취 목표치를 정한 후, 이걸 성취하게 되었을 때 부모님께 내가 좋아하는 음식으로 외식하자고 제안하였다. 당시 내가 좋아하는 음식이라고 하면 돼지갈비, 치킨, 탕수육 정도의 소소한 음식이었고, 이런 음식은 사실 특별한 날이 아니어도 사 먹을 수 있을 정도의 집안 형편이었지만, 스스로 동기 부여를 하기 위해 생각한 방법이었다.

지금 생각하면 부모님께 내 성적을 빌미로 음식을 사달라고 한 것이니 죄송스럽지만, 당시 부모님 생각엔 내가 제시한 학업 성취 목표에 비하면 너무나 소소한 보상이라고 생각했기에 기쁜 마음으로 제안을 수락하셨다.

학업 성취를 위해 노력하는 시간이 쉽진 않았지만, 단순한 것에 행복함을 느꼈던 나는 맛있는 음식을 먹을 생각을 하며 잘 버틸 수 있었다. 목표를 성취한 이후 가족들과 외식했고, 내가 좋아하는 음식을 먹는 순간 나는 누구보다 행복했다.

성인이 된 이후에는 중고등학생 때보다 훨씬 다양한 사람을 만나게 되었고, 또 새로운 경험을 하게 되었다. 이로 인해 즐겁고 행복한 상황도 많아졌지만, 반면 상처를 받거나 좌절하는 상황 또한 많아졌다. 세상에는 내가 이해할 수 있는 부류의 사람들만 존재하지 않는다는 것과 또 살면서 뜻하지 않은 상황은 언제든지 닥칠 수 있다는 것을 깨닫고, 그렇게 몇 번 힘든 슬럼프를 경험하였다.

이후 취업을 앞둔 시간이 다가왔다. 취업을 마주한 냉혹한 현실에 지쳐 있을 그때, 머리를 식힐 겸 친한 친구들과 1박 2일 여행을 다녀왔다. 나를 포함해서 친구들 모두 취업 앞에서 한없이 작아지는 시기였고, 미래에 대한 고민이 많을 때였다.

저녁을 먹은 후 숙소로 돌아와서 가볍게 술을 마시면서 도란도란 이야기를 나누는 시간을 가졌고, 자연스럽게 나온 화제가 '요즘 무슨 낙으로 사는가?'였다. 살면서 그렇게도 소소한 것에 행복을 잘 느끼는 나도 취업 준비를 몰두하는 그때 딱히 생각나는 게 없었고, 친구들의 질문에 당당하게 대답할 수 없었다.

그 순간 나는 내 삶이 잘못되고 있음을 느꼈다. 물론 미래를 생각하면 취업은 당연히 중요한 요소지만, 그로 인해 현재 삶의 행복이 없다면 미래에 대한 고민을 지속하기는 어렵다고 판단하였다. 일상에서 느낄 수 있는 현재 삶의 소소한 행복을 찾을 때, 미래에 대한 고민도 지혜롭게 잘 풀어나갈 수 있다고 생각했다.

여행에서 돌아온 후 내가 행복을 느낀 소소한 순간들에 집중하며 생각을 정리하기 시작했다. 우연히 들은 라디오에서 마침 나오는 평소 내가 좋아하는 노래, 지하철 환승할 때 기다릴 필요 없이 마침 딱 들어오는 지하철, 너무 피곤한 날 버스를 탔는데 마침 남아 있던 딱 한 자리의 좌석, 종강 후 마음이 잘 통하는 친구와 마시는 시원한 술 한 잔.

정리하다 보니 소소하다 못해 하찮게 느껴지는 일상의 모든 것들에서 내가 행복의 감정을 느꼈음을 다시금 깨달았다. 이런 일상의 행복 요소를 찾아낸 이후, 의식적으로 소소한 행복을 느끼기 위해 노력했고, 어느새 내 삶은 점점 더 행복한 순간으로 가득 찼다.

원하는 직장에 취업도 하고, 떳떳한 직장인으로 산 지 어언 10년이 넘었다. 이 시대의 경제 인구로 산다는 것은 이 사회에 기여를 하고 있다는 측면에서 참으로 뿌듯하고 보람된 일이다. 동시에 다양한 부류의 사람들을 만나고 또 이해할 수 없는 상황을 경험한다는 측면에서 엄청난 감정이 소모되는 일이다. 때때로 지치고 힘든 날이 찾아왔고, 그럴 때 나만의 소소한 행복을 통해 에너지 충전을 하고 스트레스를 풀 수 있는 것들이 필요했다.

요즘에 지치거나 우울하거나 에너지가 많이 소진된 날이라면 퇴근길에 어김없이 동네 카페로 향한다. 얼마 전, 우연히 알게 된 작은 카페인데, 음료와 함께 휘낭시에, 마들렌, 쿠키, 소금빵 등 다양한 빵을 파는 카페이다. 그날따라 한 번도 먹어 본 적이 없는 휘낭시에라는 구운 과자에 눈길이 가서 별생각 없이 주문했다. 처음 먹어 보는 달콤한 휘낭시에 한입에 좋지 않던 감정이 싹 사라졌고, 기분이 좋아졌다.

이후 조금 고단한 하루나 스트레스를 받았다 싶은 날에는 그 카페를 찾았다. 바삭하고 촉촉한 휘낭시에를 먹는 소소한 행복에 젖어 일상을 기분 좋게 마무리할 수 있었다. 그러면서 또 이렇게 입맛에 딱 맞는 디저트 가게가 동네에 있다는 것, 그 자체에 행복하고 또 감사함을 느꼈다.

주위를 보면 스스로에게 주어진 많은 것들이 있음에도 불구하고 더 많은 것을 이루고자 하며 현재의 삶에 불만족하며 살아가는 사람들이 있다. 물론 목표한 바를 성취하며 살아가는 삶은 미래 지향적이며 가치 있으나, 현재의 삶에 스스로 행복함을 느끼지 못하면서 목표를 좇다 보면 고통스러울 것이다. 사실 행복의 기준을 조금만 낮춘다면, 우리는 일상에서 하루에도 몇 번이고 행복을 느낄 수 있다.

너무 작고 소소하기에 무심코 놓치는 일상 속 행복들이 있다. 만개한 벚꽃, 푸릇푸릇한 초여름의 나무, 윤슬이 반짝이는 물결, 알록달록 단풍으로 물든 산과 같이 좋아하는 풍경을 바라보는 것만으로 행복할 수 있다. 고소하고 진한 아이스 카페라테, 갓 구운 베이글에 크림치즈, 육즙 제대로 살려서 맛있게 구운 고기, 운동 후 씻고 나와서 마시는 시원한 캔맥주와 같이 맛있는 음식을 통해서도 행복할 수 있다.

때로는 마음이 잘 통하는 사람들과 보내는 시간이나 내가 좋아하는 경험을 통해 행복할 수도 있고 자신의 주변에 있는 소중한 사람들의 존재 자체만으로 행복할 수도 있다. 중요한 것은 행복을 꼭 거창한 것이라 생각하지 않고, 일상에 늘 존재하고 있음을 인지하는 것이다.

하루하루를 살면서 소소한 것에서 행복을 느낀다는 건, 참으로 축복받은 인생이고 소중한 인생이다.